El almogávar

Gilberto Rendón Ortiz

D0375737

ediciones **sm**   LIBROS DEL RINCÓN   SECRETARÍA DE EDUCACIÓN PÚBLICA | **SEP**

Sistema de clasificación Melvil Dewey DGMyME

863
R45
2001   Rendón Ortiz, Gilberto
          El almogávar / Gilberto Rendón Ortiz. — México : SEP :
          Ediciones SM, 2001.
          120 p. — (Libros del Rincón)

          ISBN: 970-18-7197-9 SEP

          1. Literatura mexicana. 2. Novela. I. t. II. Ser.

Primera edición SEP/ SM de Ediciones, 2001

D.R. © SM de Ediciones, S.A. de C.V., 1999
      Cóndor 240, colonia Las Águilas,
      01710, México, D.F.

D.R. © Secretaría de Educación Pública, 2001
      Argentina 28, Centro,
      06020, México, D.F.

ISBN: 970-688-140-9 SM de Ediciones, S.A. de C.V.
ISBN: 970-18-7197-9 SEP

El almogávar se imprimió en EDAMSA Impresiones, S.A. de C.V.,
Avenida Hidalgo 111, colonia Fraccionamiento San Nicolás Tolentino,
09850, México, D.F., en diciembre de 2001.
El tiraje fue de 45 000 ejemplares más sobrantes para reposición.

I. La cosa en la botella

¿HABÍA o no un diablillo encerrado en la botella? Fray Samuel se hacía una y otra vez esta pregunta. Lo malo es que no podía compartir sus inquietudes con el bueno del abad, el padre Martinico, ni mucho menos con los hermanos del convento, ya que el mayor temor de su vida no era encontrarse cara a cara con el supuesto diablillo de la botella, sino que sus trabajos pudieran prohibirse si de pronto alguien muy celoso de la fe viese en ellos la mano del maligno. Él mismo, que se sabía un espíritu libre y elevado, temía haber despertado fuerzas enigmáticas; y no dejaba de pensar en cuestiones teológicas antes que en asuntos que un día deberían incluirse en el estudio de las cuatro ciencias de la enseñanza científica, en un estanco aparte de la aritmética, la música, la geometría y la astronomía. Sin embargo, había la probabilidad de que aquella fuerza extraordinaria, encerrada en la botella, pudiera no ser la manifestación de un demonio, sino algo más terreno, propio de la naturaleza de las cosas, si no es que, acaso, una fuerza sobrenatural de signo contrario a la del demonio (¿no hacía sus experimentos al amparo de la cruz?) de tal modo que, si había alguien guardado en la botella, eran más las probabilidades de que se tratase de un ángel antes que de un demonio (se santiguaba repetidas veces para apartar sus pensamientos de tales herejías). Y la remota posibilidad de que la cosa en la botella fuese la esencia misma de las cosas, y no ángel ni demonio, le hacía defender a todo trance la obra que realizaba. Tenía que explicársela a sí mismo, antes de hablar de ella a los altos eclesiásticos. Pero su razón no daba para más.

Por experiencia conocía que hay dos caminos para apurar una salida cuando se daba el caso de un estudio que se dificultaba. Esperar, el primero. Sí, esperar tranquilamente (un mes o un año o una vida) a que la idea salvadora llegase sola, después de haber hecho lo imposible por encontrarla en el estudio. Escuchar, el segundo. Sí, escuchar la opinión ajena. Por supuesto, la opinión de alguien afín, no la voz de un espíritu necio.

Eso era. Necesitaba una opinión aparte de la suya para volver a orientar sus estudios en la dirección correcta. Fue entonces que llamó a alguien de su entera confianza, el hermano Per, compañero suyo de estudios y ahora en un castillo cercano sirviendo de preceptor a un joven a quien el propio Samuel tenía gran afecto, el hijo del señor de Alafaria. Éste era muy joven, pero, educado por fray Per, dominaba el *trivium*, las tres ciencias literarias, y el *quadrivium*, las cuatro ciencias científicas, como cualquier alumno aventajado en las mejores escuelas de Córdoba. Quería también escucharlo.

Así pues, una noche el hermano Per y su joven pupilo Alaric llegaron a la abadía. El padre abad los recibió con enorme gusto y familiaridad. El señor de Alafaria era el principal benefactor del monasterio, y las visitas de esta pareja al hermano Samuel, una costumbre que databa de cinco años atrás.

Apenas se instalaron en el cuarto de huéspedes, Samuel los llevó de inmediato a su celda y les mostró la causa de tantos desvelos suyos. Una botella de cristal semiopaco. La botella, metida en una especie de vaso o recipiente metálico, estaba taponada con un corcho en el cual fray Samuel encajó una larga aguja para someter a la cosa en el fondo de cristal. La parte sobresaliente era el ojo de la aguja que acababa en forma de una sólida gota de metal. Por lo demás, parecía una botella de vino común y corriente, aunque Alaric creyó haber visto en la oscuridad reinante un brillo tenue en el extremo sobresaliente de la aguja.

Fray Samuel explicó a grandes rasgos que, mientras trataba de investigar la ínfima naturaleza del hierro, había logrado atrapar algo extraño en una botella. O más bien, que la botella guardaba una clave misteriosa que, quizá, abriera las puertas a un abismo insondable que podría abrirse a sus pies.

—Las puertas del averno —se santiguó tres veces—. O tal vez las puertas de algo bastante terrenal.

Siguió explicando que podría haber alcanzado a atrapar en aquel oscuro recipiente, sino es que a un ente sobrenatural, la esencia de las cosas, esto es la esencia del agua, del aire, de la tierra y del fuego. ¿Cómo saberlo? ¿Cómo volver a orientar sus estudios para lograr domar al ente o a la fuerza manifiestos en la botella?

Fray Per pidió que les mostrara el prodigio.

—Lo haré —colocó la botella sobre de una mesita en medio de la celda—. Observen, es una botella común al parecer. La he puesto dentro de una copa de metal a fin de prevenir que las paredes de cristal se rompan y la cosa escape. Si os asomarais a su interior veríais que está vacía, excepto por una poca de agua y las virutas de hierro con las que alimento a ese ente o fuerza misteriosa. He puesto un tapón de corcho muy apretado para impedir que, al despertarse... bueno... generalmente se encuentra dormida, salga libremente la cosa y... es todo.

Fray Samuel tenía en las manos un peculiar instrumento que podría decirse una cruz cuyo tronco principal era una larga aguja similar a la que atravesaba el corcho. La mostró a sus invitados y, en preparación de lo que iba a mostrarles, comenzó a decir algunas oraciones. Luego añadió:

—Bueno, no es todo: hace falta despertar a la cosa en la botella —aclaró el hermano Samuel el propósito de pases y oraciones, y los curiosos movimientos de manos y cuerpo, y las no menos extrañas manipulaciones de diversos objetos que hacía, entre ellos una barra de vidrio y un paño de seda.

Y siguió orando.

Fray Per y Alaric se miraron. Nunca antes habían visto al viejo maestro, como le llamaban ellos, rezar durante una lección de ciencias.

Pero, ¿es que aquello era una demostración científica? Al cabo de un momento, que parecía interminable para Alaric, se respiraba algo extraño en el ambiente. Algo que causaba una molestia en los hombros y en la espalda, un dolor no del todo manifiesto, que parecía estar producido por agujas que se hincaran lentamente en el cuerpo. Y también un cosquilleo en la cara que a fray Samuel hizo exclamar:

—Parece que se despierta...

El joven reparó en que el miedo que sentía era tan grande como la curiosidad que lo embargaba sólo que, a medida que el miedo crecía, el interés por la demostración empezaba a decrecer. Tenía erizados los vellos de los brazos y acelerados los latidos del corazón.

—Ahora vean... —fray Samuel acercó la cruz metálica a tres palmos de la boca de la botella.

Claramente pudieron apreciar los visitantes la punta de la aguja coronada de haces brillantes de cortos hilos azul-rojizos, como una helena victoriosa en las lanzas del ejército de Julio César; al mismo tiempo, se escuchaba un ligero susurro prolongado.

—¡Sí, ya se ha despertado! —exclamó.

Imprudentemente, a ojos de fray Per, Samuel se acercó un paso más a la botella y, de la punta de la aguja, brotó un fuerte chasquido al tiempo que vieron un grueso rayo de luz cruzar el breve espacio que ahora separaba la punta del corcho, donde sobresalía un extremo de la aguja.

El hermano Samuel apartó ligeramente su instrumento y el tembloroso rayo de luz azulosa se hizo más largo.

Fray Per se estremeció de golpe y no tuvo ninguna duda de lo que se trataba. Súbitamente inspirado, corrió a apartar al hermano Samuel y valientemente, mientras la fuerza demoniaca se manifestaba, tomó con la mano izquierda el contenedor metálico de la botella. Su intención era conjurar al maligno y expulsarlo de ahí, antes de que fuera irremediable la condenación del alma del hermano Samuel. Pero el diablillo en la botella no dio tiempo a que fray Per levantara la mano derecha y pronunciara el exorcismo. Al momento en que rozó su mano el ojo de la aguja metálica, la cual sobresalía del corcho, se vio al atrevido sufrir una violenta sacudida que transfiguró su rostro y le erizó la escasa cabellera. En seguida cayó tendido al suelo lanzando la botella por los aires. En ese mismo instante otras cosas pasaron de modo simultáneo: el hermano Per, al tiempo que caía al suelo, soltó un grito que debió escucharse por todo el convento; la botella cayó al suelo y estalló en pedazos; el hermano Samuel se sintió arruinado por el resto de sus días; y Alaric, con la piel de carne de gallina, muy asustado, trató torpemente de salir corriendo de la celda.

Cuando el joven logró abrir la puerta, en los pasillos resonaban carreras que iban en dirección de la habitación del hermano Samuel. Se quedó paralizado en el umbral, sin saber si cerrar o acabar de salir.

Los tres —Per no había sufrido otro daño que un ligero acalambramiento del brazo y se hallaba, aunque en el suelo, del todo consciente— se imaginaron a los monjes exigiendo una explicación y, en efecto, cuando se presentó el sacristán seguido del abad y otros hermanos, Samuel ya tenía una respuesta en los labios:

—El hermano ha resbalado con la botella en la mano y ha caído de modo tan sonado que ha tenido a bien gritar estridentemente mientras se veía cayendo al suelo sin remedio. Por suerte, su cuerpo bien amortiguado ha sabido caer con la dignidad acostumbrada... Y no ha pasado nada.

—¡Oh, hermano —exclamó el rollizo sacristán—, casi has construido un soneto con tu explicación...!

Como fray Per, pese a la terrible conmoción sufrida, se repuso rápidamente, el comentario del hermano Samuel satisfizo al padre abad, quien se quedó a conversar toda la noche con los hermanos Per y Samuel sobre temas de actualidad que, a estos dos últimos, les tenían sin cuidado, hasta que llegó la hora de correr a decir las últimas alabanzas de la liturgia.

Esa noche los tres amigos ya no pudieron discutir una jota acerca de la terrible experiencia, y afrontaron el sueño de esa noche con el mismo ánimo perturbado. El hermano Per, seguro de que los estudios secretos del hermano Samuel abrieron una rendija al infierno, por la cual la mano ardiente del demonio lo había tocado. El hermano Samuel, temeroso de que, en efecto, sus estudios tomaran un sendero equivocado. Alaric, mortificado por la cobarde reacción de sus piernas.

Pese a que el joven no pudo apreciar en su justa naturaleza lo ocurrido, ni menos las manifestaciones que hubiera podido presentar Samuel si no hubiese sido interrumpido por el ánimo piadoso de Per, la explicación introductoria había penetrado de tal modo en su ser que, al despertar muy temprano, se enderezó de golpe con una idea que llegó a alumbrarle, justo cuando transitaba entre el sueño y la vigilia. Abrió la ventana, buscó la Biblia que llevaban y leyó en voz alta:

—"...Y así acabó Moisés la obra.

"Entonces una nube cubrió el tabernáculo del testimonio, y la gloria de Jehová hinchó el tabernáculo.

"Y no podía Moisés entrar en el tabernáculo del testimonio, porque la nube estaba sobre él, y la gloria de Jehová lo tenía lleno.

"Y cuando la nube se alzaba del tabernáculo, los hijos de Israel se movían en todas sus jornadas:

"Pero si la nube no se alzaba, no se partían hasta el día en que ella se alzaba.

"Porque la nube de Jehová estaba de día sobre el tabernáculo, y el fuego estaba de noche en él, a vista de toda la casa de Israel, en todas sus jornadas."

El hermano Per se despertó cuando Alaric rebuscaba entre los libros y escuchó, medio dormido todavía, la lectura del último capítulo del Éxodo. En su mente quedaron las palabras remarcadas por su alumno:

—...y el fuego estaba de noche en él...

Se sentó al borde del camastro y sintió el fresco que entraba por la ventana con la tenue claridad que anunciaba la salida del Sol.

—En la noche el fuego, en el día la nube, ¿y qué, hijo? ¿Qué parangón quieres establecer...? ¿A qué viene este despertar tan agitado?

—No se puede explicar lo ocurrido anoche como algo demoniaco, fray Per... Conozco el Éxodo de memoria, al igual que tú, y por lo mismo, sabes que Dios se manifiesta de modo temible ante los suyos. El monte Sinaí era azotado por una lluvia de rayos, los israelitas temerosos se alejaban y Dios pedía que nadie se acercara demasiado porque podía ser aniquilado...

—Es muy temprano para pensar en lo de anoche, déjame acabar de despertar que pronto hay que ir a decir las oraciones, Alaric.

—Anoche tuviste la intención de exorcizar la cosa en la botella.

—Lo hubiera hecho si no se me traba la lengua... y no me tira esa fuerza.

—Y yo hubiera salido corriendo si no se me aflojan las piernas... y llegan los hermanos con el abad.

Durante treinta días seguidos, los dos clérigos, en compañía de Alaric, se dedicaron a estudiar el fenómeno encerrado en la botella. Tenían permiso del abad de instruir en todas las ciencias al joven, cuyo padre era tan generoso con la abadía, y no despertaban ninguna sospecha las largas jornadas, apenas interrumpidas por los siete momentos diarios de rezos y alabanzas al Señor, que pasaban a solas.

Fray Per, inspirado en las reveladoras palabras expuestas por Alaric aquel día al despertar, creyó que, en contra de su primera impresión, andaban tras los pasos de una gran obra mística que podría transformar al hombre.

11

Alaric sentía que aquellas palabras no eran suyas, que las dijo sólo porque vinieron a él esa mañana. Por el contrario, a medida que en esos treinta días desmenuzaban uno a uno los elementos que intervenían en el fenómeno, estaba convencido de que aquel ente o cosa podía devenir en algo muy terrenal.

Fray Samuel aceptaba que en el fondo del asunto ambos, maestro y discípulo, tenían razón. La cuestión sugerida por fray Per de una alquimia trascendental, sin embargo, no le atraía por lo pronto. En tanto Alaric se inclinaba por el lado práctico del fenómeno —incluso habían logrado repetirlo, tras muchos intentos vanos, con otras botellas— a él le importaban las consecuencias teóricas y filosóficas del mismo. Tenía encerrada en la botella una sustancia maravillosa cuya fuerza, manifiesta a veces, apaciguada la mayor parte del tiempo, se desprendía de unos cuerpos. Quería entender la naturaleza de esa sustancia porque, ahora estaba seguro, se trataba del pequeñísimo ladrillo con que Dios había edificado cada uno de los cuatro elementos de la naturaleza. La palabra átomo quería escapar de sus labios, pero Demócrito de Abdera había descrito, además del concepto de átomo, muchas herejías que no deseaba fray Samuel bulleran en su cabeza.

Antes de que sus amigos, discípulos y compañeros de obraje regresaran al hogar, el sabio empezó a dar cuerpo a sus ideas y a plasmarlas en un manuscrito en el que habría de trabajar durante casi un año.

Acordaron de reunirse en seis meses, para la fiesta de la Candelaria; mas, por azares del destino, tuvo que pasar un año y algunos meses para que volvieran a verse.

En ese lapso Alaric regresó al estudio de las ciencias, alcanzó los dieciocho años de edad y causó algunos sobresaltos al bueno de fray Per, por cuanto que comenzó a acercarse al médico Focatio y a fijarse en las condiciones de vida que padecían los vasallos y siervos del señor de Alafaria.

Fray Per, en cambio, no dejó de pensar en la experiencia extraordinaria que viviera aquella noche en la abadía de San Valero.

12

Los trabajos desarrollados en los siguientes treinta días no le hicieron cambiar la idea que le inspiraran las citas del Éxodo, y así como en el primer momento creyó que una fuerza demoniaca lo había alcanzado, al día siguiente lo llenaba la seguridad de que en aquella réplica grosera del Arca de la Alianza tuvo el extraordinario privilegio de ser tocado por un poder divino.

II. Una larga caminata

CLARIOT trataba de no despegarse de la sombra escurridiza del almocadén Siripo de Famagosia. Eran tan densas las tinieblas que se habían venido encima con la noche, que apenas conseguía adivinar el terreno que pisaba e intuir los espinos, las piedras y los matorrales que rozaban sus piernas. A veces tenía que detenerse un instante para escuchar los sutiles pasos de su compañero y seguirlo a la carrera, antes de que se adelantara demasiado. Trataba de ir pisándole los talones y de imitar los montaraces movimientos del guerrillero, pero ya se sentía desfallecer y cada vez se atrasaba más y más.

Clariot, con dieciséis años a cuestas, era un muchacho bastante recio, de otra forma el almocadén no lo hubiera llevado con él; sin embargo para ese momento, luego de tres jornadas de marcha, estaba a punto de caer rendido. Sus fuerzas vacilaban. Sólo el ánimo, las ganas de hacer méritos ante su jefe, lo mantenían en pie. Habían caminado día y noche casi sin parar, sin probar otro alimento que hierbas y frutos silvestres que encontraban al paso.

La aventura comenzó para Clariot de modo inesperado una tarde, cuando fue llamado a la cabaña del almocadén o comandante de las tropas almogávares.

—Me parece haber entendido que sabes leer... —le dijo éste.

Clariot enrojeció. Por un momento pensó que el jefe se fijaba en él por su empeño en tirar los dardos y usar el cuchillo colltell.

—Sí, señor... —alcanzó a responder.

—Me envía el sidi Apeles, un tío bastante ambicioso, un mensaje por escrito. Se supone que nadie debe saber de este asunto. Como yo no entiendo los signos latinos, menos los griegos y los árabes, te necesito a ti. Debe ser el suyo un negocio muy jugoso para que se tome tal empeño en escribir.

En efecto, el mensaje, hecho llegar con uno de los propios hombres del almocadén, lo firmaba un tal señor Apeles, un infantón sin tierras ni fortuna recién llegado al castillo de su hermano.

Prometía a Siripo de Famagosia un buen botín por hacerse cargo personalmente de un "pequeño asunto". Lo esperaba en tres días a la caída de la noche en las afueras del castillo de su medio hermano Gondolín Braciforte, señor de Alafaria. El lugar preciso, el santo y seña para el contacto, las contraseñas, las señales se explicaban en la carta.

El almocadén se rió a carcajadas cuando el muchacho acabó la lectura.

—Sé bien lo que pretende ese tunante... —contó a Clariot lo mismo que si estuviera hablando solo—. Lo conozco porque me pagó un rescate muy sustancioso en una oportunidad... con oro que no era suyo.

—¿Vas a acudir a la cita? —se interesó el muchacho.

—Sí —se levantó el almocadén—. Salgo en este momento.

Siripo era un hombre robusto, alto y fuerte, extraordinariamente ágil para su corpulencia. Parecía áspero y salvaje, en concordancia con las condiciones de vida que llevaban él y sus huestes en el monte y el bosque, lejos de villas, castillos y ciudades. Y ciertamente, muchas de sus incursiones en las tierras fronterizas se marcaban más por la brutal sencillez de sus aspiraciones que por la inmisericorde crueldad de los tiempos. Fijándose uno mejor, había algo especial en aquel hombre que tenía bajo su mando una banda de almogávares, la "flor del mundo", según han dicho los cronistas de la época: una inteligencia profunda y primitiva. Clariot, buscando los ojos que parecían ignorarlo, gritó para hacerse oír:

—¡Llévame contigo, almocadén!

Hasta entonces Siripo reparó realmente en el muchacho. Una mirada penetrante que paralizó a Clariot.

—Son tres días sin parar...

—Puedo... —tartamudeó Clariot.

"Sí puede", pensó el almocadén tras sopesar la figura del jovenzuelo. "Está flaco, cierto, pero es recio. Es pequeño de estatura para su edad, pero está bien templado y es más ágil que ninguno; brillan sus ojos de emoción cuando me ha pedido que lo lleve, lo mismo que refulgen las espadas de los almogávares al despertarse contra las piedras antes de una batalla..."

Recuerda Siripo que, hacía algunas decenas de años, Alfonso el Batallador irrumpió victoriosamente en Al Ándalus. Regresó a tierras cristianas con más de diez mil mozárabes, que se hicieron campesinos independientes en su mayoría. Algunos otros se volvieron soldados o guerrilleros que van en *al-gara*, es decir que hacían incursiones en territorio enemigo; otros buscaron refugio en las ciudades, donde eran muy apreciadas las artes y oficios que traían en su haber.

Pocos mozárabes, después de haber peleado contra el moro o huido del Al Ándalus, aceptaron como recompensa la servidumbre; pero a medida que se consolidaba la zona reconquistada y se ampliaba más hacia el sur, la nobleza sometía a aquellos agricultores libres a relaciones de vasallaje o servidumbre. Los campesinos-soldados ocupantes de las nuevas tierras se veían constreñidos a agruparse bajo el patrocinio de un señor para defenderse, tanto de las invasiones islamitas cuanto de los atropellos de otros señores con sus respectivas huestes, también de campesinos-soldados.

Quienes optaron por sumarse a los guerrilleros libres, sin otro señor que el rey de Aragón, ni otra bandera que la de las cuatro franjas, se habían esparcido por montes y bosques en busca de una libertad ahora más huidiza. No aceptaban haber salido del yugo sarraceno para someterse a otro yugo, tal vez más oprobioso. Para ellos era preferible exponer mil veces, diariamente, la vida en incursiones y correrías para saquear, robar y cautivar en los territorios sarracenos, que formar parte de los peones en las mesnadas de los barones feudales. En los feudos los beneficios y la gloria eran siempre para los señores y los caballeros. Los demás no contaban más que como siervos o esclavos. Por ello, los mozárabes nutrieron durante todos esos años las guerrillas almogávares.

Clariot llegó del Al Ándalus hacía apenas dos años, cuando las oportunidades de hacerse campesino independiente, sin otro señor que el rey de Aragón, decrecían. A los catorce años era un joven inquieto y soñador. Perdió a su familia en la huida y en los continuos combates entre moros y cristianos. Trató de establecerse en Sarakusta bajo las órdenes de un maestro en artes u oficios, pero había corrido con tan mala fortuna que, a los tres días de haberse puesto en manos de un prestigioso alarife, fue azotado de manera injusta. Huyó al campo. Estaba convencido de que la vida, donde quiera que se estableciera, le sería imposible sin esa libertad con la que habían soñado él y todos los cristianos en tierras sarracenas. La vida culta y refinada que llevara antes chocaba de frente con la nueva realidad.

Se refugió en los campos aragoneses y, luego de un año de andar errante, llegó a las estribaciones de los montes de Albarracín, donde pululaban los almogávares en una tierra sin leyes ni fronteras, que los sarracenos se negaban a dejar del todo. Si acaso en algún lugar se podía respirar un aire de plena libertad era entre los montañeses y pastores transformados en guerreros sin amo ni señor.

Siripo de Famagosia echó una segunda ojeada al muchacho. No quería cometer un error.

Ahora, a los dieciséis años, Clariot parecía haber nacido en una cabaña escondida entre breñales, y vivido, desde bebé, a salto de mata, sin otra formación que la que llevaban los niños montañeses en su salvaje existencia. De modo casi imperceptible, se iba haciendo recio de músculos y había perdido la palidez de su rostro. El cabello hirsuto, la zamarra de piel, las calzas de cuero y las abarcas le daban un aire montaraz y reservado en su extrema juventud.

"Casi casi —pensó el almocadén— podría confundirse con uno de nuestros muchachos." El *casi casi* quedó aleteando un momento en su cabeza, mas no tardó en escaparse ante los imperativos del momento.

—¡Vamos, pues! —exclamó al fin.

Y así, comenzó una caminata de tres días con sus noches, deteniéndose unas pocas horas para descansar.

El almocadén había tenido que dar un largo rodeo, ante un inusual movimiento de tropas sarracenas en territorio aragonés. En otras circunstancias, no las hubiera evitado. El modo de combatir almogávar se atrevía a golpear con muy escasos hombres los flancos enemigos a la menor oportunidad. Pero ahora tenía un negocio en puerta y se complacía en adivinar una divertida aventura a expensas del falso barón que pretendía un feudo ajeno. Era la noche convenida y por ello se apuraba sin dar descanso al muchacho. Un poco más y llegarían.

Para Siripo todo estaba claro: sidi Apeles pretendía arrebatar al hermano sus propiedades y para eso lo buscaba a él. Lo conocía de tiempo atrás y aunque le causaba cierta repulsa, no tenía escrúpulos para hacer un trato con esa clase de animalañas, como él les llamaba. El heroísmo y la salud mental de la plebe eran superiores en todo a los de las familias nobiliarias, envueltas en reyertas, crímenes, envenenamientos y depredaciones de toda índole, de modo que tomar partido por un lado o por otro en tales disputas era lícito sólo con oro de por medio. En todo caso, le disgustaba al almocadén que el sidi Apeles se dirigiera a él con tanta familiaridad, como si fuesen de la misma calaña. Sí; ya tendría oportunidad de señalarle la distancia que hay entre un soldado libre y un infantón sin tierras.

—Llegamos, muchacho —se detuvo de pronto.

18

Habían salido a un amplio sendero, hollado en ciertas épocas por los incansables peregrinos que, de todas las tierras cristianas, se incorporaban al camino que lleva a la tumba del apóstol Santiago. A esas horas de la noche el sendero estaba solitario, pero en lugar de acentuarse las tinieblas que los habían envuelto los últimos momentos de la marcha, en el horizonte despejado, precisamente hacia el oriente, desde donde se dibujaba la franja del camino, asomaba una luna enorme que comenzaba a alumbrar el paisaje.

Enfrente de él, Clariot pudo distinguir la silueta oscura del castillo, elevándose ligeramente sobre un montículo. Ellos a su vez se encontraban en otra ligera elevación.

El almocadén encendió entonces una rama seca y agitó las llamas sobre su cabeza. Así permaneció un momento hasta que, desde una torre del castillo, respondieron agitando tres veces una antorcha.

—Acerquémonos —dijo el guerrillero.

Llegaron a la entrada del castillo. Siripo de Famogasia lo conocía bien. Dos o tres años antes había gozado de la hospitalidad del señor de Alafaria cuando se presentó con el botín de una algara muy productiva. El señor recibía a todos los huéspedes por igual. Tenía debilidad por los viajeros que llegaban con noticias de otras tierras o que solían hablar de historias maravillosas. Bardos, titiriteros, jugadores de ajedrez, peregrinos, clérigos, mercaderes de reliquias, medicinas, perfumes y sortilegios. Eran bienvenidos a la mesa inferior y dormían juntos en los amplios desvanes o en las desnudas tablas del largo comedor.

El negocio con el sidi Apeles podía haber sido tratado discretamente en el interior del castillo, pero era evidente que en los planes del infantón estaba precisamente mantener en secreto la presencia del almocadén, de modo que no se les invitó a pasar la noche en él. Clariot se contentó con adivinar las riquezas que se protegían con aquellas altas murallas de piedra, resguardadas día y noche por celosos guardianes.

El sidi Apeles se presentó sin cota ni armadura. Era delgado y ligeramente contrahecho, un hombro más alto que el otro, la caja torácica hundida, según pudo apreciar la mirada aguda del novato en el momento que se acercó a ellos. Su voz sonaba chillona y penetrante. Apenas se saludaron, los dos hombres se alejaron unos pasos y a Clariot no le fue posible escuchar una palabra de lo que se trató ahí esa noche; el caso es que inmediatamente se pusieron de nuevo en camino.

III. La trampa

HACÍA tres meses que fray Samuel, a instancias del abad Martinico, se había instalado provisionalmente en la Ermita de la Vera Cruz, sostenida por el barón de Alafaria. El padre abad tenía mucho cariño al hermano Samuel. Veía con orgullo y simpatía sus trabajos de filosofía natural, pero al mismo tiempo estaba consciente de que entre otros hermanos, a raíz del manuscrito que preparara recientemente y del cual enviara copias a la biblioteca de otros monasterios, se había despertado la inquietud y el recelo ante las ideas propuestas. Aparte de que más de uno de los hermanos había captado la atmósfera peculiar que inundaba a veces la celda de fray Samuel con algo inexplicable que ponía realmente erizados los vellos, los bigotes y la cabellera. Varias voces en el convento se alzaron discretamente en su contra. Antes de que las protestas fuesen más duras y abiertas, y condujesen a la condena de los estudios y prácticas del sabio, el abad resolvió buscar un mejor sitio para él. Pensó en la ciudad de Sarakusta, pero el hermano Samuel deseaba pasar el Adviento, a seis meses de distancia, en el monasterio a fin de acabar esa etapa de su trabajo. Un viaje de cualquier índole le quitaría tiempo precioso de un momento de indudable inspiración.

Fray Samuel tenía familiares influyentes en Roma. Venía de una excelente familia emparentada con Alberto el Magno, y había conocido riquezas espléndidas. Para pasar los pocos o muchos años que le quedaban de existencia, se contentaba con cuatro paredes y un espacio suficiente para albergar unos pocos

21

libros y otros tantos viejos aparatos de medir y de calcular. Lo demás él se lo procuraría.

La situación en el monasterio de San Valero no estaba para dejar que el hermano Samuel siguiera tranquilamente con esos trabajos, que ponían a prueba la tolerancia de los demás. Tendría que dejarlos o irse. Sin embargo, por un lado el abad le tenía mucho afecto como para no tentarse el corazón, y por otra parte comprendía, sin saber exactamente de qué se trataba, la importancia de la obra a la que se entregaba el hermano, y acabó por buscar una solución intermedia. Fue cuando halló un lugar para fray Samuel en la recién restaurada Ermita de la Vera Cruz. En ella se había construido recientemente un hospital aprovechando las piedras de una antigua fortaleza romana. Samuel podía asistir a los enfermos, que eran pocos, ya que el hospital no contaba sino con tres camas, en la mañana o en la noche, y dedicarse el resto del tiempo a sus trabajos. Concluidos éstos, debía seguir su camino a la vieja Sarakusta, o a otro lugar que le conviniera y donde quizá sus ideas no despertasen la inquietud que reinaba en el monasterio últimamente.

El cambio alteró durante dos o tres meses su cotidiana labor y fue la causa de que fray Per y Alaric no pudieran encontrarse con fray Samuel en la fecha convenida. Luego el joven cayó enfermo y, aunque se recuperó sin mengua alguna, el tiempo siguió pasando hasta acumularse cosa de trece meses, cuando al fin el hijo del señor y su preceptor pudieron reunirse con el hermano Samuel. Y, así, conocer las importantes conclusiones a que habían llegado sus estudios.

En esta ocasión, como Alaric y fray Per estaban muy familiarizados con la fenomenología asociada a los trabajos del hermano Samuel, dedicaron la primera semana a leer con avidez sus *Apuntes para los Principios de una filosofía natural*, como titulara al valioso manuscrito.

Durante los días siguientes se enfrascaron en una sabrosa discusión, en la que Alaric participó con no peores argumentos que los otros. A veces se turbaba al tratar de explicar el concepto que rondaba en su mente, pero no tardaba en hallar las palabras justas para expresar claramente su idea y muchas veces reorientó toda la discusión. El trabajo de dos o tres cabezas en lugar de una sólo podía ser productivo, pensaba el hermano Samuel, si se daba en condiciones de igualdad. ¿Cómo podía encontrarse ésta entre tres personas tan disímbolas? Despojándose de hábitos y ropajes y dejando el alma desnuda con su chispa divina manifiesta. "Pero hablemos —decía—, hablemos sin cortapisas, sin pretensiones y sin pena, hablemos *libremente*, porque la inspiración llega por igual a quienes se atreven a hablar libremente desde el fondo del corazón, sea sabio o ignorante, sea viejo o joven. Hablemos libremente para que el intelecto deje paso a la imaginación..."

Luego de alguna fructífera discusión, fray Samuel dedicaba todo el día siguiente a escribir y Alaric se ponía a jugar *libremente* con la cosa atrapada en la botella.

Fray Per tal vez fuera el menos capaz de los tres para llevar adelante la obra emprendida, pero a cambio era un maestro excepcional y gracias a él los muchos talentos que poseía su alumno se desarrollaban a plenitud. Observador sagaz notó, mucho antes de que se hiciera cargo de la educación del hijo del señor de Alafaria, que la inteligencia humana se manifiesta en cada persona de modo diferente, de tal suerte que un estupendo espadachín poseía una gran inteligencia de su cuerpo, así como un poeta poseía la inteligencia del ritmo y la palabra. Alaric lo había sorprendido a los ocho años de edad al resolver un problema de cálculo pitagórico de modo más bien visual que matemático, encontrando una solución correcta por una vía que él nunca hubiera imaginado. Descubrió, con el tiempo, otras clases de inteligencia que poseía su alumno y no se entretuvo en reconocerlas, sino en desarrollar sus conocimientos por la vía que al muchacho era más fácil y no por los caminos trillados de la enseñanza.

Fray Per, seguramente el amigo más cercano en afecto y en distancia que tenía el hermano Samuel, era el preceptor de Alaric desde que éste tenía siete años de edad.

El señor de Alafaria, don Gondolín Braciforte, lo entregó al caballero Tristanico de Ponteverde para que lo ejercitase en las armas. Alaric, al quedar huérfano de madre a temprana edad, estaba tan consentido por su padre que siempre se salía con sus caprichos, y él escogió a fray Per como su preceptor. El señor aceptó al fraile con la condición de que enseñara a su hijo el ejercicio de las armas. Fray Per, más bien rechoncho que robusto, aceptó el reto, y él mismo aprendió a manejar la espada y la lanza y a batirse cubierto de hierro, a fin de mejor enseñar a su alumno. Pero, ni fray Per ni Alaric pusieron mucho empeño en las artes de combatir y dedicaron más tiempo al cultivo de la mente y el espíritu. A los dieciocho años, no se le conocía al hijo del señor ninguna hazaña guerrera, ni se le consideraba diestro en el manejo de las armas, ni por su fuerza física, pese a lo cual se destacaba por su viva inteligencia, su ingenio y su carácter firme y bondadoso. Los numerosos vasallos y siervos de su padre le querían sinceramente.

El juego, había comprendido fray Per al lado de su alumno, era el preludio del conocimiento, siempre y cuando el juego llevara a reflexiones dentro del mismo momento lúdico. Por ello hemos dicho, aunque pareciera temerario, que Alaric jugaba con la cosa en la botella, porque, en efecto, aunque no prorrumpía en risas ni en sonrisas, en verdad se complacía; gozaba en probar una y otra idea que a él le venían en forma de imágenes antes de materializarse en palabras.

De pronto, cuando los tres amigos estaban convencidos de que se hallaban al borde de un gran descubrimiento, llegó un criado del señor con un mensaje para Alaric. Don Gondolín Braciforte lo llamaba a su lado, ya que había caído gravemente enfermo.

La noticia estremeció al muchacho. Estaban a menos de una jornada a caballo del castillo. Si salían en ese mismo momento, cuanto que pasaba del mediodía, llegarían poco después de la medianoche.

Fray Per trató de convencer al muchacho de que era mejor salir en la madrugada, pues andarían por la mañana la mayor parte del tiempo. Alaric no se dejó convencer. Simplemente se alistó, abrazó al hermano Samuel, y advirtió a su preceptor y amigo, fray Per, de que lo alcanzara tan pronto como pudiera y quisiera.

—Ahora mismo voy contigo —repuso éste.

El criado, que llegara con dos caballos además del suyo, se quedó al lado de fray Per con órdenes de ayudarle a recoger el equipaje.

Alaric se puso en marcha al instante y el buen fraile se quedó todavía un largo momento para finiquitar algunos detalles con el hermano Samuel y preparar tanto las pertenencias propias como las del muchacho. La noticia había caído intempestivamente, en un momento crucial de la gran obra. Ni fray Per, ni Alaric, ni el mismo fray Samuel hubieran querido separarse cuando parecía que encontrarían juntos uno de los secretos más admirables de la naturaleza.

Fray Samuel dio gracias a sus amigos por los días pasados a su lado y todavía discutió con fray Per la última idea que había alcteado entre ellos. Prometió continuar en el empeño e informarles de los resultados.

—Sospecho que tu discípulo es quien se ha acercado a la verdad profunda de la maravillosa sustancia encerrada en la botella. ¡Un fluido, como el viento! Una sustancia que corre, se precipita y se desborda a través de los cuerpos... Me emociona la idea. ¿Y cómo conciliar esta idea con las propiedades que hemos observado guarda la sustancia? ¡Quiera Dios que podamos continuar la obra juntos!

—Te seguiremos adonde quiera que vayas, Samuel...

Por lo pronto, la intención de fray Per era ir de inmediato tras los pasos del muchacho. Abrazó a su amigo y ambos intercambiaron largas frases de despedida.

—Cuida bien al muchacho, Per. Si alguien puede en verdad concluir esta gran obra que ha saltado en nuestras manos es tu pupilo.

Fray Per asintió halagado y se vio obligado a corresponder:

—Tiene una gran cabeza, hermano; pero lo que tú le has enseñado en pocos días no lo podría yo transmitir en toda la vida.

—Esta gran obra es un trabajo todavía inconcluso; hemos abonado el camino para que otros lo transiten. Si ahora me trae el Señor el descanso eterno, moriría feliz...

—Espera, estás ya tan cerca de lograrlo...

—Sí, por ello es el gran gozo que siento. Pero, basta de charla, el muchacho se ha puesto en camino y en la noche acechan tantos peligros.

—Mandaré algunas viandas —terminó fray Per de despedirse—. La ermita no dispone de recursos y hemos dado cuenta de más de los que trajimos...

—Envíame al menos una botella de ese vino farraguinoso que hacen en la viña de Alcalá. Aquí no se consigue excepto vino aguado y dulzón. Los hermanos en San Valero lo cargan con pimienta para darle algún sabor, y tal vez exageran, porque parece que tragan fuego. Es bueno para el estómago, lo reconozco; pero no para mis experimentos...

—Ya sé de cuál pides. Conozco uno bastante avinagrado que han llevado al castillo unos mercaderes de la morería. Creo que te serviría mejor... Si el barón no ha dado cuenta de la cava, te mandaré al menos un par de botellas.

Y siguieron despidiéndose de una manera inacabable que, al final, obligó a fray Per a decidirse por su propio consejo. No partió sino con la fría madrugada del día siguiente.

En tanto, a la mitad del camino Alaric comenzaba a pensar que su viejo amigo tenía razón. La tarde se estaba yendo y el resto del camino lo haría de noche. No tenía miedo alguno, sino que, de pronto, aquello le parecía extraño. Nunca había viajado de noche y menos solo. Era un camino de suyo solitario, apenas transitado en ciertas épocas por caravanas de mercaderes y peregrinos que iban a un santuario lejano. Lo que le preocupaba era la enfermedad del padre. Lo había dejado en perfectas condiciones de salud. Y ahora se decía que estaba grave. No se lo podía explicar. A menos que hubiera sufrido un accidente o alguna herida en combate.

Llevaba buen paso, sin cansar a su caballo. A medida que el bosque se llenaba de sombras, sus pensamientos regresaron a la ermita, a sus amigos y a la clase de estudios que hacía. Luego salió la luna, perfilando negras siluetas en el horizonte; perdió la conciencia de sus pasos y el tiempo pasó volando. Volvió a reparar en la luna cerca de la medianoche. Si no la tuviera de frente levantándose a 30 grados del cenit, sabría de todos modos el aspecto que debería tener el astro a esas horas. Ya conocía la relación que hay entre el aspecto de la cara de la luna con la hora y su posición en el cielo. Se preguntó si, en efecto, Apollónides el griego tenía razón al exponer que la superficie brillante de la luna era como un espejo cuyas manchas eran el reflejo de la imagen del mar grande de la Tierra, y en ese momento recobró la conciencia del andar de su caballo y del latir apresurado de su joven corazón. Había entrado a los bosques propiedad del señor de Alafaria.

—¡He llegado, padre! —pronunció—. Tu hijo amado está aquí, a poca distancia de tus brazos.

Quiso apresurar el paso, pero la bestia se resistió, como si presintiera algo. Además, había empezado a ascender una loma un tanto pesada que marcaba la etapa final del camino. Después de la loma terminaba la parte más tupida de bosque y comenzaban los campos de cultivo que rodeaban al castillo.

Precisamente, cuando estaba por alcanzar la parte elevada del sendero, descubrió una silueta humana en medio del camino.

Se llenó de temor e instintivamente llevó la mano al cinto donde debería llevar un cuchillo, ya que la espada siempre brillaba por su ausencia. No lo encontró, como era de suponerse, conociéndolo; lo había olvidado en la ermita. Tomó bien las riendas del caballo y se dispuso a lanzarse a galope en caso necesario.

—¡Alto! —exclamó una voz de muchacho—. ¿Quién vive?

—¡Deja el paso libre, mozalbete, o no respondo por tu vida! —exclamó Alaric.

—¿Quién eres para atreverte a hablar así...? —alzó el muchacho la diestra y Alaric pudo notar que empuñaba un largo cuchillo.

—¡A un lado, tunante! —lanzó entonces el caballo contra la figura que se interponía a su paso.

El muchacho no se movió del lugar y casi fue arrollado por la cabalgadura, que salió al galope. Pero ésta no avanzó sino unos pocos metros porque en seguida Alaric sintió cómo el pobre caballo perdía el paso y caía al suelo lanzándole al vacío.

La caída fue tremenda; se golpeó el cuerpo por todos lados y quedó tirado boca abajo, mordiendo el polvo de verdad. Por un instante todo se oscureció. Al reaccionar no sentía ni miedo ni dolor, sino que lo embargaba una sorpresa total. Intentó enderezarse y una fuerza superior a las suyas se lo impidió. Tenía un pie en la espalda empujándolo firmemente contra el suelo.

—No intentes moverte —escuchó una voz—. Porque eres muerto.

En seguida le ataron las manos a la espalda y le hicieron volverse boca arriba.

—¿Qué broma es ésta? —exclamó Alaric al descubrir a un muchachuelo blandiendo un largo cuchillo montañés.

—¡Calla, hombre! Ahora eres un cautivo. Y no tienes derecho a hablar si no se te pregunta, ¿oíste?

Junto al muchacho se erguía la figura impresionante de un hombre de feroz aspecto. Adivinó entonces lo ocurrido. Luego de arrollar al muchacho, el otro tipo, que vigilaba de cerca, lanzó un dardo a su caballo. Bandidos tenían que ser, no otra cosa.

Clariot, pues de él se trataba, había fracasado en detener al jinete; mas eso no importaba, no era la suya una prueba de pericia, sino de valor, y si de valor se trataba el novato permaneció en su sitio, sin moverse, al momento en que el viajero lanzó su cabalgadura en contra suya. Lo hubiera arrollado si no es porque el noble caballo lo evitara.

Los bandidos, observó Alaric sin acabar de salir de su atolondramiento, vestían al modo de los montañeses y almogávares. Podrían pertenecer a alguna partida que anduviera cerca. Era fama de que estos asaltantes, supuestamente aliados de la cristiandad, ejercían su oficio libres de todo fanatismo religioso o racial, pues, a la hora de saquear, lo mismo robaban a musulmanes que a cristianos, con un admirable sentido de la equidad. Ciertamente, cuando el río suena es que lleva piedras, y algo de esta conseja tiene su razón, pero en sí era una exageración: en el fondo de sus corazones los almogávares profesaban un afecto a toda prueba por la Casa Real de Aragón.

El hombre lo levantó violentamente, poniéndolo de pie. El brusco movimiento le hizo sentir lo adolorido que había quedado su cuerpo tras la caída del caballo. El asaltante tomó su rostro de la barbilla y lo puso a la luz de la luna.

—¿Cómo te llamas? —rechinó el bandido los dientes, examinándolo atentamente.

—Ferrán... —se le escapó sin pensarlo.

—¡Mientes, te llamas Alaric y vas al castillo de tu padre!

—Si lo sabes, ¿por qué preguntas?

—Quiero estar seguro.

—¿Y si yo fuera quien dices, qué pretendes...? Si me pones ahora en libertad, yo podría pagarte generosamente un rescate.

El almocadén estalló en carcajadas ante la salida de Alaric. Esos señores, pensó, siempre dando órdenes, siempre altaneros y estúpidos.

—Es tuyo, Clariot —se dirigió a su acompañante—. Te lo encargo. Vale muchas monedas. Son tuyas todas las que nos den cuando lo vendamos en tierras moras. Por lo pronto, tú me respondes de él.

—¿Venderme, bandido? —trató Alaric de argumentar algo—. ¿No te das cuenta que puedes obtener más de mí y de mi padre que en cualquier zoco árabe?

—Así que resulta que admites ser quien yo pretendo que eres —se avivó el hombre, burlón.

—Sí, lo soy. Si me llevas ahora mismo al castillo, mi padre pagará el rescate que pidas.

—Es buena la idea. Sólo que llega tarde, ¿por qué no me la propusiste ayer? Ya hice un trato por tu vida y, puedes jurarlo, el almocadén Siripo de Famagosia es un hombre de honor, que cumple su palabra.

Y volvió a estallar en carcajadas mientras echaba a caminar e insinuaba a su acompañante que lo siguiera con el prisionero. Tendrían que apurar el paso durante dos o tres horas para alejarse del lugar, antes de darle al novato un rato de descanso.

IV. Alaric en manos de Clariot

EL negocio con el sidi Apeles había resultado extraordinariamente productivo. Quería, el gran traidor, que Siripo saliese al encuentro del hijo de su hermano don Gondolín, le preparara una emboscada y que lo hiciera prisionero, ya sea para matarlo lejos de ahí o para venderlo a los moros como esclavo.

—No soy asesino —protestó el almocadén.

—Mejor, yo tampoco deseo exterminar la estirpe de mi hermano. Basta con que lo pongas lejos de aquí, en manos de quien no pueda nunca escapar.

—Lo llevaré a la misma ciudad de Córdoba, si lo deseas.

—Le hemos enviado un mensaje, para que venga a ver al padre enfermo. El joven no debe llegar nunca a este destino, ¿comprendes?, porque se podrían arruinar mis planes. El padre en realidad goza de buena salud, por ahora, y no por mucho tiempo. Cuando se entere que su hijo ha sido asaltado, caerá realmente enfermo, a pesar de la salud de hierro de que goza y, de eso me encargo yo, no se levantará más. Las extensas propiedades de mi hermano pasarán a mis manos.

—¿Dónde está el muchacho?

—No tardará en llegar. Es cuestión de interceptarlo en el camino. Pudiera llegar esta misma noche, como sospecho por su carácter precipitado, o en el transcurso del día de mañana.

El almocadén puso inmediatamente sus condiciones. El pago en oro por adelantado.

El sidi Apeles propuso entregar una parte antes y otra después de concluido el asunto, pero el guerrillero se sostuvo en sus trece. Argumentó que apenas tuviese al muchacho en sus manos lo llevaría a su campamento y luego saldría a territorio sarraceno, lo más lejos posible, para asegurarse de que nunca pudiera regresar. El riesgo para el almocadén era también grande, pues sus algaras eran por lo general de dos o tres días, y aquella incursión que iba a intentar podría llevarle diez o doce larguísimas jornadas en territorio sarraceno. Si pereciera en el intento, prefería llevarse su paga completa.

Eso estaba bien, asintió Apeles, pero para entregar por adelantado el total de las monedas de oro añadió otra condición:

—Le cortas la lengua al muchacho.

Siripo de Famagosia sintió que la sangre le hervía en contra de aquel propósito; sólo la perspectiva del oro tan fácilmente allegado le mandaba abajo los escrúpulos y acabó por aceptar. Las intrigas entre los señores sólo confirmaban su opinión acerca de ellos: ninguno valía la pena. Acordándose de su compañero, el mozárabe, pidió un buen trozo de carne cocida, pan y una botella de vino.

Puso el oro en el zurrón y dijo que se pondría al acecho del camino desde ese mismo momento, tratando de interceptar al muchacho lo más lejos posible del castillo, y que, para que no quedasen testigos, cargaría también con los acompañantes, mudos como peces, a venderlos en un lejano confín, al más vil y cruel de los sarracenos.

El sidi Apeles casi besa las manos del almocadén en señal de agradecimiento.

El asalto había ocurrido al filo de la medianoche. Luego, marcharon un par de horas antes de alcanzar un sitio propicio para descansar. Estaban en territorio aragonés, relativamente a salvo. El desorden reinante en toda la región fronteriza era campo propicio para salteadores de caminos y toda clase de abusos. En los castillos, villas y ciudades imperaba la ley del señor y sus partidas militares, pero éstas también estaban expuestas a tropezar con huestes más numerosas o aguerridas de otro señor.

Los almogávares, soldados libres para unos y asaltantes libres para otros, ellos mismos, por sus asaltos y tropelías, se habían cerrado las puertas de los feudos y ciudades cristianas. Andaban por los montes, evadiendo encuentros no deseados y saliendo sorpresivamente a encontrarse con jugosos botines.

Durmieron, pues, a resguardo entre breñas y, al día siguiente, se pusieron en marcha muy temprano, cuando el sol aún no salía.

El novato se había repuesto del cansancio de la jornada anterior. Unas pocas horas de sueño reparador le bastaron para sentirse como nuevo, aunque tal vez fuese el entusiasmo que lo llenaba ante la novedad de una aventura. El cautivo, sin embargo, aunque libre de las manos, se resentía de la caminata nocturna y los golpes recibidos y, cuando trataron de apretar el paso, simplemente se derrumbó al suelo.

—¡Qué fiasco son estos señoritos! —exclamó Clariot, a cuyos pies el cautivo estaba tirado boca abajo respirando agitado.

Alaric estaba realmente muy cansado y lastimado, tanto por la caída del caballo como por la caminata nocturna. Tenía las piernas y los brazos arañados por los espinos y breñales, pero sobre todo le costaba mucho trabajo saltar entre las piedras, subir lomas y bajarlas una y otra vez.

Sintió la presencia del jovenzuelo, una sombra que le cubrió, y luego un fuerte empujón, dado con el pie sobre su hombro, que lo hizo girar boca arriba.

Clariot le miró un largo momento, más como se mira a caballo regalado que a una persona, y tras el examen movió incrédulo la cabeza y exclamó:

—Lo llevaremos a rastras si es preciso.

El almocadén se puso en tanto a examinar al cautivo, palpándole los huesos. Comprendió que estaba lastimado levemente de un tobillo y que sería difícil hacerlo caminar a buen paso en esas condiciones.

—Te dejo con él, Clariot, marcha de modo que resista el cautivo —resolvió de inmediato—. Me adelanto un poco, para después regresar por ti, ¿te parece bien?

—¿Qué vas a hacer?

—Confía en mí. Yo estoy confiando en ti.

—Confío, sí.

—Mira aquel bosquete de pinos. Vas a dirigirte a él y cruzarlo, siempre en esta misma dirección. Apenas salgas del bosquete, vas a tropezar con un riacho, síguelo arriba, hasta cruzar el lomerío. No te detengas en ninguna parte, camina siempre. Espero verte antes.

De inmediato el almocadén se alejó a grandes zancadas. Antes de perderse a la distancia, se volvió para decir:

—No te desvíes del camino, no te entretengas con nada, no te distraigas...

Los dos muchachos quedaron solos.

—Te tengo que volver a amarrar, hombre, no quiero tener que estar vigilándote siempre.

—Eres tonto, Clariot —repuso el prisionero dejándose atar ambas manos enfrente suyo—. El otro se va con el oro y te deja el moro.

—Calla. Tú no conoces a Siripo de Famagosia, es hombre de honor.

—¿De honor dices? ¿Tratas de hacerme reír?

—Tú no sabes nada...

—¿Le han pagado por hacerme prisionero? Entonces no es hombre libre, sino un siervo... ¿de quién, Clariot? ¿Quién ha mandado a tu almocadén hacerme cautivo? ¡Callas! Eres otro criminal igual que tu jefe. Ya imagino: es una venganza de los señores de Valtierra, a quienes mi padre aplastó cuando hacían tropelías en sus propiedades... ¿O es asunto de los Pomeroso, esos cobardes pendencieros...?

—Si vuelves a decir algo, te vas a tener que tragar tus palabras con una mordaza.

34

Anduvieron toda la mañana a un paso tan lento que se hacía cansado para Clariot. Pasado el mediodía el bosquete estaba a su alcance. Por un momento sintió que todo iba saliendo bien. Sin embargo, cuando estaban por alcanzar las arboledas, el novato descubrió la silueta de un hombre a caballo oculto tras los troncos.

No podían retroceder, porque atrás se hallaban a descubierto, en un llano que los dejaba a merced de cualquier galopada. Debían alcanzar el bosquete, pero en diferente lugar al previsto.

El novato explicó al prisionero la situación y le libró las manos para que pudiese correr.

—No esperes auxilio de ninguna parte, porque aquí lo que vale es la ley del más fuerte y astuto. Vamos a correr hacia aquel lado del bosque. Si logramos meternos entre los árboles, yo puedo hacer frente a cualquier atacante, tal como lo hacen los almogávares.

Alaric asintió y a una señal del novato salieron ambos a la carrera.

La maniobra de los muchachos llamó de inmediato la atención del personaje que esperaba escondido y, tal como lo temiera Clariot, no tardó en salir en su caballo a cortarles el paso.

Era una carrera desesperada, imposible de ganar. Podría Clariot intentar detenerse de golpe y dar una cuchillada al caballo en plena carrera. Si lograba evitar ser arrollado, el caballo podría arrastrar en su caída al jinete y Clariot tendría oportunidad de rematarlo. No, eso era una locura. Ah, ¿qué otra cosa podría hacer para salir con vida de aquel trance? Tirar la cuchillada en el momento en que sintiera ser alcanzado y...

Una voz lo sacó de la viva escena que estaba construyendo en la imaginación.

—¡Clariot, querido, vas en dirección contraria!

El almocadén Siripo de Famagosia había regresado con dos caballos. Y con agua y vino y algunos alimentos.

V. Las andanzas de fray Per

HAY dos clases de artes del conocimiento, recordaba fray Per las enseñanzas del hermano Samuel. Unas conducen a manipular las cosas reales; las otras permiten manipular la imaginación. Las primeras nos acercan a la naturaleza de las cosas; las segundas nos introducen en la esencia de las cosas. Sin las primeras, las segundas no tienen sustento; sin las segundas, las primeras carecen de sentido. Tienes que equilibrar el justo medio entre el hacer y el pensar.

En suma, ¿qué quería decir el hermano Samuel con todo eso? Fray Per, al lado del hermano Samuel, sentía que las enseñanzas eran tan claras y meridianas como la palabra en los Evangelios del Señor. Pero apenas se alejaba unos pasos de aquel santo varón, comenzaba a confundirse, a enredarse, a sentirse un completo ignorante. Él, sencillamente, no tenía la cabeza de Alaric, ni había nacido para desentrañar, con la venia del Señor, los grandes secretos de la naturaleza. Al lado de Alaric había descubierto que su vocación era enseñar las cosas sencillas de la vida a los hijos de los señores. Podría instalarse en el castillo por el resto de su vida y ser un confesor paciente, un guía espiritual comprensivo y tolerante, un conversador en la mesa del señor, pero sobre todo un maestro ejemplar, como intentaba serlo con Alaric. En los convulsos territorios donde vivían, alumbrar a otros con las luces del conocimiento no era una modesta aspiración. Los dogmas y el fanatismo reinaban al lado de la ignorancia más supina. Fray Per mismo sentía que no era poco con lo que se conformaba y, por tanto, pedía ánimo y fuerzas al Señor de los Cielos. El hombre, se decía fray Per, ha sido puesto sobre la faz de la tierra para probar los frutos buenos y amargos. Si hubiera sido creado para adorar a Dios toda la vida, hubiera sido hecho ángel; si hubiera sido creado para vivir indiferente ante las cosas buenas y malas, hubiera sido hecho piedra. Ha sido creado para ser hombre y vivir y sufrir como hombre, adorando a Dios sobre todas las cosas.

A fuerza de reflexionar en el largo camino, se preguntaba si el Señor celestial reinaba como si los cielos fuesen un feudo, o es que había una insana intención al llamar *señor* a los señores feudales, a la manera del Señor de los Cielos. Se santiguó varias veces para abandonar estos pensamientos y mejor bajó del caballo para revisar a un pobre burro que llevaba con ellos cargado con un par de bultos llenos de materiales de estudio y ropa. Su acompañante, ahora adelante, ahora atrás, iba silencioso sin atreverse a mirar de frente al clérigo, ni de entablar conversación con él. Estaba al tanto de las felonías de sidi Apeles.

Poco después del mediodía, fray Per entró al castillo ante la alegría de sus moradores, que creían que llegaba también el joven hijo del señor. La inquietud y la alarma siguieron a la decepción, al enterarse de que Alaric se había adelantado a su preceptor y debería haber llegado la noche anterior.

Sidi Apeles, que había comenzado a arrepentirse de haberle dado tanto oro al almocadén, se alegró con las noticias, aunque estuvo nervioso durante algunos días, siempre temeroso de que el almocadén no cumpliese con su parte.

Don Gondolín Braciforte cayó en cama al día siguiente, víctima de un brebaje preparado por sidi Apeles. Se dijo que la vana espera del hijo había enfermado al señor, aunque en realidad éste no se había dejado abatir por las noticias. Mandó de inmediato a todos sus soldados a batir sus tierras y a investigar en los feudos vecinos, bajo la consigna de informar cualquier hecho curioso o sospechoso. Al día siguiente regresó un soldado con la noticia de que en un villar cercano, a media jornada de distancia, un hombre había robado un par de caballos. Otro soldado dio noticia de que un par de almogávares habían sido vistos días antes por los alrededores. También se conocieron otros hechos curiosos, como el nacimiento de una ternera albina y el hallazgo de un nido de culebras en un cuarto del castillo, los movimientos de tropas sarracenas a dos jornadas de distancia, anunciados con alarmados redobles de tambor, y otros asuntos que no viene al caso comentar porque la atención del señor de Alafaria se centró en los primeros informes recibidos.

La ternera albina era de buen augurio; significaba, de acuerdo con un monje tolentino consejero de don Gondolín, Bocatio Alaférico (mote derivado de *alafé*, sustancia alcalina presuntamente usada por los médicos y cirujanos), que no había que temer por la vida de Alaric. El nido de culebras significaba que el peligro se encontraba en el propio castillo. Ahora bien, si en esto había una total certeza de parte de Bocatio Alaférico, un profundo conocedor de las personas que convivían con ellos, por otro lado no sabía cómo interpretar lo de los almogávares y el hurto de los caballos. Fue el propio Gondolín quien pensó si no tendría relación, uno u otro episodio, con la suerte de su hijo.

Sidi Apeles se frotaba las manos satisfecho. Las sospechas del hermano eran tan certeras que debía él sentirse seguro y confiado con su plan. Éste se iba precipitando al desenlace deseado.

En efecto, el brebaje comenzó a hacer efecto. El señor cayó en cama y su medio hermano comenzó a hacerse cargo de los asuntos del castillo. En tanto, Bocatio Alaférico y un médico cirujano que se había detenido en el castillo a su paso rumbo a la abadía de San Valero, trataban de salvar la vida de Braciforte.

Sidi Apeles decidió suspender la búsqueda del muchacho.

—Si ha sido cautivo, no tardaremos en conocer los términos del rescate —afirmó.

Bocatio comprendió en seguida la jugada del sidi. El señor estaba enfermo a causa de algún veneno puesto en sus alimentos secretamente. ¿Cómo encontrar el antiveneno indicado antes de que el efecto fuera fatal e irreversible? Explicó su parecer al médico cirujano, quien comentó a la vez su parecer.

—Si en realidad don Gondolín ha sido envenenado, es evidente que el veneno no actúa de manera fulminante, sino que lo hará cuando se haya acumulado en su organismo una cantidad bastante para matarlo. Podría tal vez salir el paciente del estado mórbido por sí solo si dejara de probar los alimentos y el agua que se le trae y de recibir las visitas que recibe. Hay venenos que se impregnan en la piel de las personas a través de un saludo o una fingida caricia...

—Si eso ocurriera, si Braciforte mejorara un poco, los hombres que ha comprado el sidi caerán encima de nosotros y nos pasarán por la espada lo mismo que a nuestro señor. Dirán que su muerte fue natural y que nosotros salimos de madrugada sin que nadie nos viese. Conozco a esa víbora.

—Dame la tarde entera para estudiar el caso.

El médico sacó de un baúl con el que siempre viajaba tres libros cuidadosamente empastados en piel de cabritilla, entre ellos el *Tratado de los venenos y sus antídotos* de Ben Maimón, el sefardí, conocido entre los musulmanes como Abu Imram Musa ben Maimun Ibn Abdalá, y por los cristianos como Maimónides, el médico judío, y se enfrascó en su lectura.

Al anochecer había hecho a un lado el libro y se mostraba pensativo cuando Bocatio llegó a informarle del estado, cada vez más débil, en que se encontraba el enfermo.

—Apresuremos el desenlace —respondió el médico—. Puedo preparar un veneno curioso que produce un efecto en apariencia mortal, pero que, aplicado el antídoto dentro del lapso de un día, el "muerto", que en realidad se encuentra profundamente dormido, despierta. Esto permitirá sacarlo del castillo y llevarlo lejos de aquí, para ver si su cuerpo elimina por sí mismo el veneno que lo está matando. Diremos que la última voluntad del señor de Alafaria fue la de ser enterrado en la Ermita de la Vera

Cruz, a la que tantas donaciones hizo para su restauración. Después, cuando se recupere se sabrá la verdad.

Fray Per y Bocatio Alaférico no se llevaban bien. De alguna manera uno y otro disputaban los mismos favores a don Gondolín y quizá esto los hacía enemigos irreconciliables, aunque bien pudiese ser algo más profundo e inevitable, como por ejemplo dos caracteres diferentes y encontrados. El caso es que en lugar de intercambiar información uno con otro, evitaron verse a propósito en aquellos momentos de tensión. Bocatio estaba trastornado por la enfermedad de su protector; fray Per no salía de su estupor ante la desaparición de Alaric. Ambos religiosos eran amigos fieles del barón de Alafaria y adivinaban, sin ser realmente adivinos, el origen de sus males. El plan de sidi Apeles era tan burdo que sólo podría engañar a los criados bajos del castillo, a los peones y a los menestrales. Ni siquiera a los soldados. Éstos, fuera de algunos viejos compañeros de armas de Braciforte, estaban acostumbrados a venderse al mejor postor, y sidi Apeles había comenzado a prometer buena paga.

Si para Bocatio no cabía duda de que su protector había sido envenenado por el traidor hermano, también fray Per estaba seguro de que Alaric había sido emboscado por algunos hombres pagados por el sidi Apeles.

La pista de los caballos robados y los almogávares rondando a media jornada de distancia parecía dibujada a propósito para que recayesen las sospechas sobre aquellos bandidos. Por lo pronto, era la única pista existente, así que fray Per tomó unas pocas monedas de plata, que guardaba desde hacía algunos años como su tesoro personal, dispuso de algunas provisiones, montó en el borrico y se lanzó a la buena de Dios, al rescate de su joven señor.

Al día siguiente ya había hablado con el dueño de los caballos, quien le dio santo y seña tanto del asaltante como de las monturas.

—Los almogávares son inconfundibles, padre. Si vas tras ellos, te basta internarte en lo profundo de los bosques y los montes; en cualquier momento caerán sobre de ti. Ten cuidado, el hombre que buscas es particularmente corpulento y feroz.

Más adelante unos peones le previnieron de que al este había una partida de sarracenos saqueando las aldeas cristianas poco protegidas. Este aviso le ayudó a elegir un camino menos peligroso, pero a fuerza de evitar los pasos difíciles fue desviándose sin querer hacia las vegas del Guadalaviar. A las orillas de esta corriente de agua pasó la noche y por la mañana se decidió a subir el monte.

Al pie del monte el borrico se encaprichó, no quiso andar más y fray Per trató en vano de llevarlo a rastras o empujones. En lo que convencía al borrico de que caminase por las buenas, seis hombres a caballo hicieron su aparición en las cercanías. Iban fuertemente armados.

—Sarracenos —los vio fray Per cuando estaban ya tan cerca que hubiera sido imposible escapar.

Los hombres se aproximaron a unos sesenta o setenta pasos y le hablaron en algún dialecto árabe. Fray Per, en respuesta, se santiguó repetidas veces.

—No entiendo —repetía.

Los sarracenos se reían unos, mientras otros hablaban al mismo tiempo, disputándose las palabras con entusiasmo. Seguramente se burlaban de fray Per y del terco borrico. O tal vez discutían la forma más cruel o divertida de acabar con el cristiano, porque de pronto uno de ellos, hosco y mal encarado, blandió una enorme espada curva y amenazó lanzarse contra el religioso. El que parecía ser jefe de aquellos hombres contuvo el brazo del agresor ante nuevas risas de los otros. Éstos deseaban divertirse a costillas del cristiano, mientras que su compañero estaba hecho una furia y quería acabar rápidamente con el clérigo. Así lo creyó fray Per.

Luego de un animado diálogo, las risas cesaron, pero los sarracenos no dejaron de mirar con aire divertido al cristiano. El tipo hosco y mal encarado volvió a blandir el arma, tomó las riendas de su caballo y se lanzó a todo galope contra el clérigo, mientras los otros armaban su algarada. Quizá se tratara de una humorada, una broma pesada, porque el sarraceno lucía grotescamente cómico, en el modo terrible de amenazar al clérigo, y el simplón que nunca falta entre sus compañeros no se aguantaba ya la risa. La broma podría terminar, entre carcajadas generales, con un golpe de la espada en el cuello de la asustada víctima.

Fray Per trató de conservar la calma. Buscó la mirada de su atacante y, antes que pudiera encontrarla, el sarraceno saltó por los aires, arrojado por un respingo inesperado de su montura.

En seguida el caballo aflojó el cuerpo (en el cuello una lanza corta le traspasaba de parte a parte), y se derrumbó al suelo. A punto estuvo de aplastar al terco borrico que siguió sin moverse. Las risas se apagaron de golpe.

Los sarracenos retrocedieron en sus caballos, tomaron las riendas con fuerza y se dispusieron a la fuga, menos el jefe, que esperó en calma a que el supuesto victimario de fray Per se recobrara para llevárselo en ancas en pos de sus apresurados compañeros.

La milagrosa salvación de fray Per se debía a dos montañeses armados apenas con una azcona, que era una lanza corta arrojadiza, tres o cuatro dardos, y un collttel, similar al largo cuchillo con el que Clariot pretendiera defenderse días atrás. Habían brotado de un amontonamiento de rocas, a diez pasos del clérigo, y ahora se erguían sobre el montón, tranquilos y orgullosos. Eran de mediana edad, bien constituidos, ágiles y musculosos, con hirsutas y revueltas cabelleras, el rostro curtido y cetrino por el aire, el sol y la intemperie. Vestían de modo similar al almocadén Siripo y al novato Clariot, apenas el traje suficiente para protegerse del frío de las noches y de los roces de los breñales: una camisa y una túnica corta, unas calzas de cuero, unas antiparas o polainas de cuero que cubrían sólo la parte delantera de la pierna, y unas abarcas. En la cabeza, en vez de yelmo o capacete, usaban unas redecillas de cuero. No llevaban ni coraza, ni logias, ni escudos. Menos aún usaban picas ni grandes espadas. Llevaban una lanza corta arrojadiza, cuatro o cinco dardos y un cuchillo largo y fuerte muy afilado. A la espalda uno, al costado el otro, llevaban colgado un zurrón para las provisiones y sujetaban la cintura con una correa, de la que pendía una bolsa o yesquera para encender fuego y, junto con ella, la vaina del cuchillo coleta.

Al verlos tan mal vestidos para un combate, con las antiparas en las piernas, las abarcas en los pies y las redecillas en la cabeza, fray Per no podía comprender por qué los sarracenos habían escapado como si hubiesen visto al mismo diablo. Sencillamente era inexplicable.

Los sarracenos iban mejor armados y eran más. Usaban una ligera cota de malla e iban sin coraza, pero eso en lugar de perjudicarlos los hacía más ligeros. En cambio llevaban escudo, largas picas y pesadas espadas. ¿Por qué habían evitado combatir con aquellos dos hombres casi desarmados?

—Te has desviado mucho de los caminos seguros, padre —dijo uno de los montañeses luego de que el clérigo se deshiciera en bendiciones y frases de agradecimiento para con ellos.

—Así es, pero no creáis que estoy perdido... Ando a la caza de unos bandidos, de esos almogávares que se dicen, probablemente habéis oído hablar de ellos... Tipos crueles y malvados, que secuestran niños y mujeres, asaltan lo mismo caravanas de cristianos que aldeas sarracenas, aterrorizan a la gente pacífica y...

—Algo se cuenta por estos lugares de esos hombres feroces... —interrumpió uno de los montañeces.

—Me alegra no haber perdido sus huellas... —exclamó fray Per.

—Temibles guerreros —observó el hombre más maduro—. ¿Lo has tomado en cuenta antes de enrolarte en el despropósito que dices?

—¿Despropósito? No sé por qué le llamas así.

—Eres un fraile, vas desarmado, a lo que se ve bastante desorientado, y todavía aseguras que andas a la caza de esos bandidos temibles, sin estar muy seguro de adónde te llevan tus pasos... ¿Con las manos desnudas los vas a atrapar?

—Es verdad. Parece una locura, pero no pretendo darles caza con un dardo o una lanza, ni menos con las manos. Dios quiera que no haga mal a mis hermanos. Lo que pretendo es pagar el rescate del joven señor que se han atrevido a cautivar.

—Ah, ya veo, te han mandado los parientes a pagar...

—Ojalá fuera así. El padre está gravemente enfermo y no puede ocuparse de su hijo. Yo he tomado por mi cuenta esta iniciativa.

—Déjame entender: el hijo de tu señor ha sido tomado prisionero por esos bandidos, ¿eh? Y tú, sin que te lo mande nadie, te has internado en la guarida del lobo para rescatarlo, ¿así es?

—Lo has comprendido con claridad meridiana.

—Sigo sin comprender por qué lo haces. Yo en tu lugar dejaba que se comieran los lobos al hijo de mi señor.

—Yo igual —apoyó el otro montañés—. Y echaba a los demás señores con todos sus familiares a las fieras hambrientas. Al único señor que reconozco es a nuestro rey, don Jaime de Aragón.

—Ya veo. Sois hombres libres, que vivís en la montaña sin dueño ni señor. Os entiendo. Pero al hijo de mi señor le tengo un particular afecto. Soy su preceptor y guía.

—Nosotros vamos al otro lado de esos montes. Si lo deseas nos puedes acompañar hasta donde te convenga. Nos ha prendido tu atrevimiento y quisiéramos conocer la historia completa.

VI. En el campamento almogávar

A TRES jornadas del castillo de Gondolín se hallaba la venta de Tardenelas. En ocasiones este lugar era muy concurrido por visitantes, cuanto que llegaban de vez en cuando exóticas mercancías. Había mercaderes que las traían de lejanos lugares y había otros que se especializaban en rescatar de soldados y asaltantes, a bajo precio, el botín obtenido en sus correrías por tierras sarracenas o cristianas. Alaric, un año antes, gracias al aviso de un viajero que pasó por el castillo, se hizo en una venta muy similar a ésta, próxima a sus tierras, de una esfera armilar y de un ábaco de Silvestre II, es decir con números arábigos dibujados en cada ficha de hueso. También, ocasionalmente, se podía obtener esclavos moros con raras habilidades.

El almocadén Siripo fue a gastar a manos llenas su oro.

Lo acompañaron diez de sus allegados, guerreros todos de valor, y el novato Clariot, a quien le había cobrado afecto. Bajaron a pie, sin otras armas que los cuchillos colltell.

Con el regreso a sus tierras, Siripo de Famagosia había tenido tiempo de pensar en su prisionero y de arrepentirse de hacer tratos con el sidi Apeles. Pero, ya lo dijo el novato Clariot, el almocadén era un hombre de honor y se sentía obligado a cumplir la palabra empeñada, a pesar de lo desagradable que le resultaba ahora. Prepararía su incursión en territorio sarraceno, llevándose a un par de hombres con él, a fin de, una vez vendido el muchacho, dedicarse a cobrar un jugoso botín en cada parada de regreso en tierras de infieles.

Clariot seguía siendo un novato y tendría que quedarse bajo las órdenes de Galione, un viejo soldado a quien Siripo estimaba mucho. Por lo pronto, en tanto preparaba dicha incursión, resolvió salir a batir a los caballeros sarracenos que andaban saqueando aldeas cristianas. Dejaría al cautivo en el campamento, en manos del mozárabe. De esta manera se desatendía del asunto que tanto le molestaba y, al mismo tiempo, ponía a prueba las fuerzas de un novato que con el tiempo podría llegar a ser uno de sus más talentosos y aguerridos compañeros de algaradas.

Clariot se tomó muy a pecho el encargo desde que en las primeras horas del secuestro Siripo lo dejara a solas con el cautivo, y, cuando el almocadén le explicó su plan, aceptó de buena gana la responsabilidad. Estaba seguro de que él también iría a vender al prisionero a territorio moro, pero más que las monedas prometidas por dicha operación, su entusiasmo se centraba en la posibilidad de participar en algunas batallas y saqueos donde probara su valor y ganara prestigio.

Como una medida preventiva, Siripo de Famagosia había convenido con Clariot que dirían en el campamento almogávar que el prisionero pertenecía al novato y que se trataba de un truhán que jugaba cartas marcadas y ciertas artes de engañifa. Que el almocadén otorgaba a Clariot la merced de vender el truhán a los moros, a fin de compensar al mozárabe de la pérdida de su fortuna personal hacía dos años a manos del mismo truhán. Debía evitar que el cautivo hablase de su suerte con los demás, pero se cuidó de vertir el rumor de que el cautivo presumía ser hijo de un gran señor, a pesar de lo cual Clariot lo había reconocido cuando trataba de sacar ventaja con sus cartas marcadas de unos aldeanos.

En efecto, recién llegado a Sarakusta, Clariot había caído en las redes de unos truhanes cartománticos que le robaron una pequeña fortuna que cargaba consigo. Como ésta era una historia sabida, a nadie disgustó que la supuesta venganza de Clariot consistiera en vender a los moros a un cristiano. Al contrario, ya que la familia almogávar había asimilado al novato, lo apoyarían en todo lo necesario para lograr su empeño.

Desde el primer instante, Clariot no permitió ninguna libertad al prisionero. Le obligó a jurar que no intentaría escapar, pero ¿qué palabra puede empeñar un truhán cartomántico que no conoce otra cosa que artes de engañifa?, respondía Alaric burlón. Le puso entonces una soga al cuello y el otro extremo lo ató a su muñeca izquierda y durante el día así anduvieron. Lo terrible para Alaric ocurrió al caer la primera noche pasada en el campamento. En el refugio del novato no había lugar más que para una persona. Clariot lo ató sentado de espaldas al tronco de un árbol y se fue a dormir relativamente tranquilo. A ratos se despertaba y espiaba por un hueco al prisionero. La noche se fue enfriando tanto que Clariot tiritaba en su lecho. De pronto, cayó en la cuenta de lo que estaría pasando afuera el joven y se levantó a desatarlo. Podía enfermarse.

Alaric estaba helado y terriblemente adolorido, cuanto que todas esas horas nocturnas no pudo acomodarse para descansar. Se levantó con muchos trabajos, para irse a meter al refugio que le ofrecía el novato. En ese momento Alaric no supo que se trataba del lecho de Clariot, sino que imaginó que le daban el peor de los rincones, una especie de primitiva celda de castigo. Durmió de corrido, hasta antes del amanecer, que era la hora en que siempre se despertaba.

Se enderezó y estiró los brazos. Al sentirse libre de ataduras, quiso salir del cuchitril y se topó en la entrada con el cuerpo acurrucado del novato, en peores condiciones que las suyas. Lo libró de una zancada.

No lejos, se avivaba un fuego y se preparaba un caldo oloroso a tocino. De inmediato sintió una punzada en el estómago y una jugosa salivación en la boca. No había comido, excepto un trozo de pan y algunos frutos silvestres, durante los dos días de marcha y, muy poco, la tarde que alcanzaron la guarida de los almogávares.

Se acercó al grupo de madrugadores, seis o siete, que se calentaban junto al hogar. Una mujer madura y regordeta le ofreció un tazón de caldo repleto de carne y verduras y le indicó que se sentara junto a ellos. Alaric lo hizo y se acomodó a un lado de la mujer regordeta.

Alaric había probado en la villa de Anterno un caldo parecido, grueso, con trozos de jamón y cordero. Entonces no fue del agrado de su delicado paladar; ahora el caldo almogávar era la gloria. No son las cocineras, sino el hambre la que hace tales milagros.

—Ahora que te veo bien —le dijo uno de los madrugadores, a quien los otros llamaban Galione—, me pregunto si habrá para ti comprador. Pobre Clariot, espera que le den cinco sueldos de plata y no creo que haya quien ofrezca dos.

—No digas eso —replicó el hombre que tenía enfrente—, este muchacho vale lo menos diez buenas monedas...

Iba a iniciarse una viva discusión entre aquel grupo de personas cuando a lo lejos irrumpió una voz aguda, con gritos ininteligibles.

—¡Me han robado! —se alcanzó finalmente a oír, entre improperios.

Era Clariot que llamaba a todo el mundo dando grandes voces. Nadie le hacía caso, de tal forma que se acercó al grupo de madrugadores. Éstos lo miraban sorprendidos, pero de inmediato creyeron adivinar lo que ocurría. Al descubrir a su prisionero el semblante del novato se tranquilizó y todos esbozaron una sonrisa disimuladamente.

La mujer regordeta se levantó a servir un nuevo tazón de caldo para el prisionero. Ofreció su asiento a Clariot y también sirvió al recién llegado.

—¿Pasa algo, hijo...? —preguntó un hombre, más mordaz que los otros, luego que controló el conato de risa.

Clariot sintió que las mejillas le quemaban, pero logró responder con toda tranquilidad.

—Oh, no, Filipo, tuve una pesadilla tan real que cuando desperté creí que seguía dormido...

Durante el día Clariot y Alaric se ocuparon de hacer cómodo y espacioso el refugio.

La soga había dejado una marca encarnada tanto en el cuello del prisionero como en ambas muñecas. Por lo visto, tenía la piel muy delicada. Escapar, de noche o de día, de los dominios almogávares era difícil, no imposible. La gente se hallaba dispersa en un amplio territorio y reinaba entre ellos un espíritu de compañerismo y de solidaridad extraordinarios, al grado que hubieran cuidado al prisionero de manera colectiva. Clariot lo sabía, pero no dejaba de tener miedo de perderlo y fallarle al almocadén. Tampoco quería lastimarlo, dejarlo marcado, por simple caridad humana y porque su precio se demeritaba.

Estaban terminando los arreglos del refugio cuando los alcanzó la voz del almocadén Siripo de Famagosia que llamaba a Clariot.

—Alístate, muchacho, vamos a bajar a la venta por bastimentos y a gastar a manos llenas.

Siripo el almocadén o jefe de la partida que se refugiaba en el monte, solía abastecer generosamente a las familias de sus almogávares cada vez que sus ganancias se lo permitían. No gustaba de acumular riquezas, como hacían otros jefes y soldados, sino que se iba gastando poco a poco lo que obtenía en sus exitosas incursiones a territorio enemigo.

La gente que lo seguía se contaba por centenares, llegando a constituir uno de los ejércitos más numerosos de las regiones fronterizas. Por lo común, este ejército se hallaba disperso en pequeños grupos que se movían audazmente en torno de las poblaciones sarracenas.

Clariot, como era de suponer, llevó al prisionero consigo, para seguir vigilándolo de cerca, mientras que el almocadén se comportaba como si no tuviera nada que ver con el cautivo.

Pasaron la noche en la venta. Algunos soldados bebieron bastante vino; no se puede decir que se emborracharan. Eso sí, durmieron profundamente, como pudo constatar Clariot, que casi pasó la noche en vela, al cuidado de su prisionero.

Al día siguiente por la tarde hicieron el camino de regreso al bosque, ocho mulas cargadas de provisiones, vino y mantas, amén de muchos artículos que pudieron comprar por creerlos útiles para sus sencillas necesidades.

De regreso a sus breñales, hizo Clariot al prisionero jurar que no escaparía. Alaric lo prometió, no sin advertir al novato, de que un truhán como él no tenía palabra.

Clariot sonrió.

—Si piensas comportarte como un truhán de aquéllos, tendrás que enseñarme las artes de engañifa con que me robaron mi fortuna.

—¿Y para qué quiere un noble aspirante a honrado bandido aprender artes tan deshonrosas? Si te oyera el almocadén...

—No irás a decirle nada a mi jefe —advirtió Clariot y luego, en tono confidencial, añadió—: Yo necesito saber de esas cosas, y de muchas más, porque, aunque no lo creas, la vida de bandolero no se hizo para mí.

—¡Ajá, eso sí que me sorprende!

—Algún día he de encontrar el sitio indicado para quedarme en él. Todo en este mundo tiene su lugar. Hay quien nace para criado, hay quien nace para soldado o para señor. Yo no sé para qué nací, mas la vida de los almogávares, aunque entre ellos encuentro la libertad de hacer y pensar que a mí me gusta, creo que no es la mía.

—Veo que te aplicas en ser uno de ellos.

—Por supuesto. Si me hubiera enrolado en el alarifazgo, no aceptaría ser el último albañil. Trataría de llegar a maestro alarife, aunque en el fondo de mi ser siguiese pensando que ese oficio no es el mío.

—Eres un chico curioso, Clariot. ¿Así que intentas ascender en la escala de los almogávares hasta el puesto de adalid?

—Mientras viva esta vida, sí; es mi sueño comandar a los bravos almogávares, sacarlos de las pequeñas correrías que hacen y ponerlos al servicio de nuestro señor de Aragón, en una más grande empresa...

—¿A todo mundo le cuentas tus pensamientos?

—No. A nadie, hombre. Ni siquiera a ti. Hoy, acuérdate, no eres una persona, sino un botín. ¿Nunca has hablado a solas contigo mismo?

—Cosa extraña: sí, lo he hecho...

—Pues estoy hablando a solas conmigo mismo. Tú, por lo pronto, eres un botín, no una persona.

—Pero tengo nombre, Clariot, y soy heredero...

—Calla, no deseo que pronuncies esas palabras aquí. Te pueden oír.

—Clariot, no puedes tapar el Sol con un dedo.

—Repite eso, hombre. Lo he escuchado antes a mi maestro de astronomía.

—A ti no te imagino estudiando astronomía...

—Estudiaba en Córdoba la infiel y me aplicaba mucho. Aunque me aburría la astronomía, porque el maestro repetía y repetía y repetía la misma enseñanza para que entrase en las mentes menos afortunadas, sin considerar a aquellos que éramos capaces.

—No te puedo creer, Clariot. Los botines no creemos, ni pensamos...

—¡Qué pícaro resultaste! Tendrás que enseñarme todo lo que sabes.

—¡Todo no, podrías perderte si soy un pillo que engaña con sus cartas! —se rió Alaric.

—Me gustaría eso, Alaric... Un tonto hijo de señor, ¿qué puede saber? Si fueses un truhán, me enseñarías algunas artes curiosas y no tendríamos que ir a venderte a los moros...

Dicho esto, el mozárabe se alejó del lugar dejando a Alaric del todo sorprendido. "¿No me he ido demasiado de la lengua?", se reprochaba Clariot.

Clariot era querido por los almogávares y las familias que se refugiaban con ellos. Les gustaba el carácter animoso y altivo del mozarabito o Clariot el Pequeño, como lo bautizaron recién llegado. Ahora, sin embargo, la presencia del cautivo había despertado algunas envidias y provocado algunas discusiones, como la que estuvimos a punto de presenciar líneas atrás, con Galione como protagonista principal. La venganza del novato chocó a algunos, no tanto porque se compadecieran del truhán, sino porque pensaban que Clariot ponía bastante empeño en algo que, en realidad, valía muy pocas monedas. Incluso, llevar a un prisionero a tierras moras podía resultarle demasiado oneroso y costarle el pellejo. Otros tomaron el partido del mozárabe, alegando que no era un asunto de monedas, sino una deuda de honor. Que si se tratara de llevar al prisionero a tierras moras, contara con ellos de compañía y protección. Y, finalmente, que el truhán debería ser visto tal como alegaba Clariot: como un botín de guerra. Si se lo tomaba demasiado a pecho, a nadie debería molestarle la altanería del novato. ¿No hacían otros muchachos lo mismo con el producto de su primera algarada? La diferencia estaba en la clase de botín obtenido, pues los otros por lo general obtenían unos chapines bordados o un bonete de seda, y Clariot se había hecho de un mozo crecido y de buen ver. Una de las conversaciones favoritas era sobre el precio que valía ese prisionero y se jugaban apuestas sobre lo que Clariot obtendría cuando lo llevase a la morería.

VII. Fray Per al rescate

FERNO y Blas se llamaban los salvadores de fray Per. Lo conducían sobre seguro a la guarida principal de los almogávares, directamente a manos del jefe de ellos. Sólo que no tenían prisa alguna y retrasaban el arribo en espera de instrucciones del almocadén, a quien, a espaldas del clérigo, enviaron un mensaje a través de un compañero encontrado en el camino.

Fray Per mismo comenzó a sospechar que estaba en manos de temibles bandidos. Todas las evidencias apuntaban hacia ese lado; si se resistía a creerlo era por la nobleza y generosidad de que hacían gala los montañeses a cada momento. Gente templada en las adversidades de una vida montaraz y llena de peripecias heroicas, había aguzado la inteligencia para salir adelante no sólo en sus arriesgadas empresas, sino en cada momento diario.

Una tarde en que se detuvieron a comer el poco pan que llevaban en el zurrón, los alcanzó el hombre con el que enviaran el mensaje al jefe. Recibieron el permiso de llevar al fraile al campamento y le dieron la buena noticia, confesando además que ellos mismos eran de los almogávares contra quienes despotricara el buen fraile al momento de su encuentro.

—Siento mucho haberos denostado —se apuró a decir fray Per—. Estaba yo furioso porque habéis secuestrado a mi pupilo. Temía que le hicierais daño. Ahora que os conozco, tengo la seguridad de que lo encontraré con vida y no será difícil negociar su rescate con personas de honor como vosotros.

Esa misma noche entraron al campamento y como todos estaban dormidos alojaron al clérigo en la cabaña de uno de ellos y quedaron de presentarlo al día siguiente al almocadén.

Fray Per cayó rendido en un lecho de pieles y trapos y durmió como un bendito hasta después del amanecer. Cuando abrió los ojos se topó con la mirada profunda de Ferno, su anfitrión.

—Ve a comer algo, padre, ya tendrás oportunidad de hablar con el almocadén, tan pronto como éste regrese de la incursión a que se ha lanzado en los alrededores. Siripo de Famagosia, nuestro jefe, acaba de regresar de un jugoso negocio, llenó el campamento de provisiones el día de ayer y hoy mismo, al amanecer, salió con una partida numerosa, catorce guerreros, a batir la región, pues los sarracenos andan saqueando aldeas cristianas, y nuestros hombres los van a escarmentar para que no se atrevan a andar por aquí.

—¿Y no tienes noticias de los prisioneros que han llegado en los últimos días?

—No ha habido cautivos, padre. No al menos de ese calibre que dices.

—Es imposible, tiene que estar en vuestras manos.

—Lo siento, padre; el único cautivo que hay en todo el territorio nuestro es un truhancillo de esos que juegan con naipes y pierden a la gente con cartas marcadas y otras engañifas. No vale nada, me dicen; pero lo capturó un novato que hace méritos para ingresar en la compañía. Su sueño es ir a venderlo a un zoco árabe.

—No puede ser —palideció el monje—. En todo este tiempo he seguido una pista falsa.

—Te llevaré de regreso, por camino llano, cuando así lo dispongas.

—Debo hablar con el almocadén, prevenirlo para que me ayude a encontrar al muchacho a cambio de una gran recompensa. Yo sólo guardo unas pocas monedas, pero su familia pagará generosamente.

—Nuestros soldados regresarán en cosa de tres o cuatro días y entonces podrás hablar con el jefe. Si te hubieras levantado antes del amanecer lo hubieras visto partir.

Fray Per suspiró sin saber qué responder.

Ferno insistió en que lo siguiera para que tomara algún alimento con las huestes de doña Feli. Él tenía que ir al otro lado del bosque, a ver a unos familiares, y quería ponerlo en manos de buenas gentes. También le dejaba su cabaña en tanto permaneciera en el campamento.

Blas, su amigo, se había incorporado a la selecta tropa del almocadén, mientras que Clariot se había quedado esperando en vano la invitación de unirse al grupo.

El novato no se atrevió a pedirle al almocadén que lo llevara esta vez, porque iban almogávares de muchos méritos y tuvo temor de que pensaran que, después de su primera correría, ya se atrevía a compararse con ellos.

Siripo de Famagosia había pensado inicialmente llevar a Clariot con él, para curtirlo en combate bajo su vigilante mirada; cuando comenzó a seleccionar a su gente, tuvo que hacer a un lado al novato, porque quedaron fuera del grupo hombres de gran valor que pudieran sentirse ofendidos si mostraba preferencia por el mozarabito. Ya habrá incursiones menos importantes, pero igualmente aleccionadoras para llevarlo, se dijo el almocadén. Clariot tenía madera de la buena y había que instruirlo mucho.

El novato, de haber conocido los pensamiento del jefe, se hubiera llenado de orgullo. Pero, lejos de ello, se hallaba sumamente contrariado. Admitía que no podía ir con los mejores, pero no se conformaba con la monotonía y simpleza del campamento. Para rumiar sus penas a gusto, no se reunió con el grupo de madrugadores a tomar un caldo más gordo que de costumbre con el que se celebraban los triunfos de la compañía, sino que se conformó con pan y queso que tenía a la mano. En cuanto a Alaric, no se mostró muy conforme con los alimentos.

Allá, con doña Feli, la señora regordeta, se juntaban las mismas personas todos los días, y se sentía la ausencia de Clariot y el cautivo.

Mucho lo lamentaba Alaric, que se había aficionado a la buena sazón de doña Feli. Mientras roía el pan duro, estiraba el cuello y miraba el humo del hogar e imaginaba el caldo gordo, la carne magra, el olorcillo sabroso... De pronto, saltó su corazón dentro del pecho. Había creído reconocer a fray Per en un monje que, acompañado por un hombre por él desconocido, iba a ocupar el lugar junto a doña Feli. No podía ser fray Per. Muchos monjes tienen un aire semejante y era lo que ocurría con éste: se parecía tremendamente a su preceptor.

Quiso Alaric desengañarse y para eso pidió permiso a Clariot de acercarse a saludar a doña Feli.

—Olvídalo —refunfuñó Clariot—. Yo también extraño el buen comer, pero este día hago penitencia y tú me vas a acompañar en la misma.

—Es una buena idea —repuso Alaric.

Iba conociendo mejor al novato. Para sacar algo de él era mejor no contradecirlo.

—Mi plan es bajar al río y pescar toda la mañana y la tarde —contó Clariot.

Alaric suspiró. Era probable que, cuando regresaran, el fraile y su amigo ya no estuvieran en el campamento. Tendría que acercarse un poco más a verlo o indagar acerca de él. Podría tratarse de un monje guerrero, como los caballeros del Temple, aliado de estos bandidos.

—Qué bien —se apuró Alaric a decir—. Se cuenta que hay barbos enormes en sus aguas.

—Es cierto; pero, hombre, dime, ¿qué miras y miras? Me estás poniendo nervioso de ver cómo estiras el cuello.

—El fraile, Clariot.

—Un fraile, lo que nos faltaba.

—¿Quién es él?

56

—¿Y yo qué sé? Nunca he visto un fraile antes en el campamento.

—Me cae como anillo al dedo, Clariot. Tengo una necesidad bárbara de confesarme.

—Dios santo, ¿y eso por qué? ¿Te estás muriendo?

—No, he pecado mortalmente...

—Ave María Purísima... —Clariot apenas pudo aguantar la carcajada—. Pues ¿qué has hecho?

—No te lo puedo decir.

—Te ordeno que lo digas.

—No me pidas detalles, pero es un pecado gravísimo del que necesito encontrar el perdón... Basta decir que se peca tanto de obra como de pensamiento... y yo he deseado fervientemente matar a cierta persona, insoportable, conocida mía... De hecho, en mi imaginación la he estrangulado varias veces y otras tantas la he descuartizado...

—¿Y qué quieres que haga yo...?

—Tú, nada, sólo que llames al monje, para que me pueda confesar.

Clariot encontró la propuesta tan extraña que no vaciló en hacer caso al prisionero. No tanto porque se preocupara por la condenación de aquella alma atribulada, sino porque todo lo que se salía de lo ordinario acababa por llamarle la atención e incluso entusiasmarle. Escucharía, a escondidas, la confesión, aunque esto fuese pecado.

—Vamos a pedírselo al monje —accedió.

—No, mejor llámalo y aquí en la cabaña, ¿te parece que le diga cabaña a tu refugio?, lo espero. Ya sabes: la confesión es secreta.

"Bueno —se dijo Clariot—, al fin que el refugio, ¿qué tiene de malo?, está lleno de agujeros y rendijas desde donde puedo espiar perfectamente."

No tardó en hacer acto de presencia ante doña Feli y sus amigos.

—Hablando del rey de Roma y él que se asoma... —pronunció doña Feli.

—Hablando del Archipámpano de Constantinopla y él mete las narizotas —compuso Galione que estaba sentido con Clariot a causa de las discusiones que entablaba respecto al valor del prisionero.

—Mira, fray Per —dijo doña Feli—, éste es el muchacho de quien hablamos. Hijo —añadió, dirigiéndose a Clariot—, el padre ha venido a bendecir a los bravos guerreros almogávares y a orar por ellos, según nos dice. Pretende hablar con nuestro almocadén y pedirle un favor personal que no puede revelar antes de hablar con Siripo de Famagosia. Le contamos que el almocadén ha demostrado excesiva preferencia por un novato mozárabe que pretende ejercer cruel venganza contra el causante de sus infortunios...

—¿Os referís a mí, acaso? —se asombró Clariot de la descripción que hacía la buena señora.

—¿A quién más, so animal? —soltó Galione.

—La venganza no es buena, hijo —intervino fray Per sin querer comprometerse en el asunto—. Debemos perdonar a quienes nos ofenden...

—¿A los sarracenos...? —chillaron varias voces en conjunto.

—Vaya, padre —rieron todos—. No es éste un buen lugar para venir a predicar...

Clariot aprovechó el momento para invitar al fraile a ver a su cautivo.

—Es un verdadero pillo, de esos que manejan naipes marcados.

—En otro momento —rechazó fray Per la invitación—. Estoy pensando en acercarme a hacer algunas indagaciones a la venta que tenéis cerca y volver acá en tres o cuatro días, cuando regrese el almocadén.

—Si te quedas en la venta, cuando regrese Siripo yo te mando un mensajero, padre —ofreció la señora Feli.

—Padre, no negarás la confesión a un cristiano... —insistió Clariot y fray Per, a regañadientes, tuvo que seguirlo.

Desde el refugio Alaric vio a su preceptor acercarse en compañía de Clariot. Contuvo las ganas de salir a su encuentro y abrazarle. ¿Qué hacía fray Per entre bandidos? ¿Habría ido a rescatarlo...? Sí, lo conocía bien, era imposible que estuviera ahí por otros motivos.

Lo esperó metido en el refugio, de espaldas, con la idea de que no lo reconociera de golpe.

Fray Per cruzó el umbral. Clariot buscó el mejor hueco que dejaban los troncos en su refugio para vigilar la escena.

—Buenos días, hijo, ¿así que te quieres confesar?

—En efecto, padre...

—Está bien, dime tus pecados...

—Fray Per, el chico nos espía... —pronunció en griego—. Dame tu bendición si eres libre y vienes a salvarme.

El buen fraile sintió que se le cortaba la respiración al reconocer a Alaric. Cerró los ojos para ayudarse a controlar las emociones que podrían traicionarlo. Tomó una profunda respiración y, tras soltar el aire, bendijo al muchacho. Volvió a tomar aire y a soltarlo antes de salir del cuchitril.

—¿Tan pronto, padre? —se asombró Clariot—. Apenas pronunció unas pocas palabras en griego y en voz tan baja que sólo entendí "dame tu bendición"...

—¡Estabas escuchando, garúfilo!

—Sí y no me parece que haya sido una confesión en forma.

—Pocas palabras, grandes pecados.

—Palabras en clave, pecados gordos... —se rascó la cabeza el novato y añadió—: Qué bueno que viniste, padre; pero ahora estoy más intrigado que antes.

—¿Qué te apura?

—Olvídalo, es un asunto personal.

—Bueno, me voy, hijo —trató de mostrar indiferencia fray Per para provocar el interés del mozárabe, mas como Clariot se quedara parado dejándolo alejarse, el clérigo se detuvo y decidió ser directo—: Ese muchacho, ¿dices que te sumió en el infortunio?

—Yo no digo, padre, fue doña Feli quien te contó. Pero es cierto, me birló una bolsa llena de monedas que había atesorado mi familia. Me arruinó y por ello pienso venderlo a los moros.

—¿Y tus compañeros están de acuerdo en entregar a un cristiano a los moros?

—No todos, pero eso no importa. Tengo el permiso del almocadén y el apoyo de los mejores guerreros.

—No es de buenos cristianos el tener cautivos cristianos...

—Lo sé, el prisionero come mucho y no produce ningún beneficio... Por ello deseo poder llevarlo cuanto antes a los moros. Es una vieja promesa.

—Podrías pedir un rescate a su familia... Algo de seguro te dará.

—No tiene familia —inventó Clariot y, como la conversación no le resultaba nada agradable, cortó por lo sano—: Padre, regresa con los demás. Yo estoy ocupado, pues voy de pesca con mi cautivo y tengo que prepararme. Que tengas buen día.

"Ah, no —pensó fray Per—, ésta es una gran oportunidad."

—¿No queda el río camino a Tardenelas, hijo? —añadió en voz alta—. Llévame contigo y ponme en camino a la venta.

—¿A la venta de Tardenelas? ¿Piensa comprar algo, padre?

—No lo digas a nadie: me he enamorado de los cuchillos que lleváis vosotros, esos colltell tan largos y filosos, que Blas y Ferno manejan tan habilidosamente. Hubieras visto cómo hicieron correr a los sarracenos que me habían cercado.

—Me los imagino a ellos —sonrió Clariot—; pero, a ti, padre, no te imagino correteando a los infieles...

—No es para ellos, espero que no sea para nadie; pero ya que hay moros en las cercanías, al menos un arma debo tener.

—Padre, tú deberías comprar un pequeño tambor para hacerlo retumbar en aviso a los demás si vieras a los moros.

—Es una buena idea —admitió fray Per, que en alguna ocasión escuchó referir de una aldea que se había defendido bien de los moros gracias a esa clase de aviso.

—Bueno, padre, si puedes seguirnos, hazlo... Trataré de no ir muy de prisa.

—Gracias, hijo, que Dios te bendiga.

—Vamos, pues, hombre —se dirigió al cautivo—. Pórtate bien en el camino.

Alaric, a sabiendas de las mentiras que enlazaba fray Per, se apretó los labios para no decir nada y no traicionar la emoción que lo embargaba al ver cómo marchaba el plan que iba urdiendo su preceptor y amigo.

No pasó inadvertida para Clariot la extraña actitud del prisionero. La achacó al extraño rito de la confesión que presenciara; al mismo tiempo comenzó a incubar sospechas de que algo significativo había ocurrido en el encuentro que tuvieron esos dos personajes tan disímbolos. Se distrajo con los accidentes del camino y algunos comentarios que hizo el fraile. Éstos le hicieron recordar una mención anterior y quiso conocer qué aventura le había ocurrido con los sarracenos. La anécdota atrapó a Clariot que se divirtió mucho con los detalles graciosos que introdujo fray Per. A partir de ese momento, Clariot y el fraile se enfrascaron en una animada conversación.

VIII. Salir de una para entrar a otra

Cuando pasado el mediodía tenían abajo el camino de la venta de Tardenelas, fray Per sentía la boca seca y la lengua pesada. Se hizo el silencio.

Clariot señaló la franja de tierra que se iba culebreando en el bosque a su izquierda.

—Ahí está tu camino, padre. La venta está a la vuelta. Nosotros nos vamos a devolver unos pasos y tomar la ribera del río. No te olvides de orar por mí.

Mientras el novato decía esto, Alaric se había puesto a su espalda, y, antes de que Clariot pudiera darse cuenta, le pasó el brazo por el cuello, cortándole la respiración e inmovilizándolo. Al mismo tiempo, fray Per se santiguó y tomó el largo cuchillo que el novato llevaba en la cintura.

Sin contemplaciones de ninguna especie, lo amordazaron rápidamente, lo ataron de manos y pies y lo metieron entre unos arbustos, atrás de unas peñas que hacían un perfecto escondite. Por demás estuvieron los intentos de Clariot por defenderse. Rojo de rabia, no podía ni protestar.

—¡Adiós, Clariot! —dijo Alaric con una gran sonrisa.

Fray Per se quedó un momento pensando. No conocía la región, porque estaban al otro lado de los montes. Sabía que por un lado estaba plagada de bandas almogávares y que pisarían territorio sarraceno con un poco que desviaran sus pasos. Tendrían prácticamente que rodear la región para salir a las vegas del Guadalaviar y de ahí tomar directo a las tierras de Gondolín Braciforte. Regresó adonde estaba Alaric con el chico amordazado y siguió las reflexiones en voz alta:

—Veamos qué es lo que nos conviene hacer a partir de este momento. Irnos a pie por el camino, a toda prisa, hasta salir del territorio de estos bandidos, confiando en que no te reconocerán.

—Si pudiera disfrazarme...

—Otra posibilidad es comprar dos buenos caballos para alejarnos lo más pronto posible, antes de que el chico dé la voz de alarma. En una buena montura en tres días cuando mucho estaremos al lado de tu padre. La venta está muy cerca, en sentido contrario a nuestro camino. Mi plan es ir yo solo a la venta, no vaya uno de esos bandidos a reconocerte, comprar los dos caballos y regresar por ti. Éste es un buen escondite para esperarme sin que pases peligro.

—Tienes razón, los almogávares frecuentan el lugar. Ve solo. Yo me quedo aquí a cuidar a este muchacho.

—Ocúltate bien. Y, aunque me veas, no salgas si no te llamo.

Fray Per tomó al borrico para bajar al camino, mientras Alaric se metía al escondite, donde Clariot seguía retorciéndose desesperado.

—Ponte tranquilo, muchacho —dijo Alaric—. No debes desesperar. Cuando nos vayamos dejaré tu cuchillo clavado en esa rama. Para que lo alcances y te liberes. Me decepcionaría que un chico tan prendido de sí mismo como tú no pudiera librarse solo...

Alaric no quería mortificar al novato gratuitamente y dichas estas palabras dejó de prestarle atención. Sus pensamientos comenzaron a volar al castillo al lado de su padre, parientes y amigos.

En menos de una hora fray Per estaba de regreso, sin el burro y con dos buenos caballos. Llamó a Alaric como había sido convenido. En ese lapso sólo transitó por el camino un grupo silencioso de aldeanos o siervos.

—Adiós, muchacho —se alegró Alaric de poderlo decir de nuevo—. Te dejo aquí tu cuchillo para que te libres, si puedes.

Luego lo pensó mejor. ¿Y si no podía desatarse él solo? Iba a pasar muy malos ratos al caer la noche. Le libró de la mordaza. Clariot sangraba de la boca, quién sabe si por haberse mordido él mismo o por la fuerza con que había sido atado.

—Me preocupa que no te puedas desatar, muchacho —explicó Alaric su acción—. Te quito esto para que puedas gritar cuando pase uno de los tuyos.

—¡Perro desgraciado! —exclamó el novato en lugar de una frase de agradecimiento—. ¡Y tú, no eres fraile ni nada! Me engañaron, se pusieron de acuerdo con unas pocas palabras en griego...

—Es un chico peligroso, Alaric —cayó en la cuenta fray Per—. Si queda libre no tardará en lanzar a la jauría de bandidos por todos los caminos al castillo...

—No lo podemos dejar amarrado de tal forma que no se pueda librar... Si cae la noche, se congela en un santiamén.

—No te compadezcas de mí, zopenco.

—Cierto, no hay que compadecerse de él, Alaric. Pensaba venderte a los moros.

—Una orden del almocadén... Éste no es sino un aspirante a soldado y trata de hacer méritos para llegar lejos: ¡a jefe de bandidos!

—En cambio, tú eres un señorito tonto y traidor, el verdadero Archipámpano de Constantinopla. Y el otro no es fraile, sino otro pillo igual a ti —chillaba el novato, de tal modo que tuvieron que amordazarlo de nuevo para no escuchar su rabieta.

—Adiós, Clariot —insistió Alaric—, si alguna vez caes por los rumbos que ya conoces, visita el castillo. Tendré gusto en recibirte.

Había ironía en sus palabras, aunque no ganas de mofarse del chaval.

Los caminos, ante las correrías sarracenas y almogávares que se sucedían intermitentes, se hallaban escasamente frecuentados. Alaric deseaba que no encontrasen un alma en todo el trayecto. Y así ocurrió en toda esa parte, que podía resultar la más peligrosa del camino, cuanto que constituía territorio almogávar. Cuando dejaron las tierras quebradas y el bosque espeso, la noche había caído casi de golpe. La luna, ocho días después de que la viéramos alumbrar la captura de Alaric, no se iba a aparecer para nada esa noche, así que estaba tan oscuro que era imposible seguir andando. Se acomodaron en la vera del camino, no sin dejar de tomar algunas precauciones para esconderse.

Al tercer día pudieron llegar sin novedad a las tierras de Gondolín Braciforte. El único contratiempo que tuvieron durante los tres días de marcha fue una tormenta que cayó al atardecer del día segundo. Por suerte, encontraron refugio bajo unas rocas sobresalientes cerca del camino y apenas si se mojaron. En la noche ya había escampado, pero siendo tan oscura se guardaron de seguir adelante, hasta que, en la siguiente madrugada, reanudaron la marcha.

Los labriegos los miraban ahora asombrados a su paso, como si estuvieran mirando un fantasma, sin atreverse más que a inclinar la cabeza como signo de sumisión.

Alaric no se extrañó de esto cuanto que estaba ansioso de alcanzar las puertas del castillo y no reparó en los semblantes nerviosos. En cambio, al llegar al castillo, los criados y siervos no pudieron ocultar su emoción. Se revolvieron por todos los ámbitos del castillo, cuchichearon entre ellos y callaron de golpe ante la mirada de los soldados.

Lo primero que inquietó a fray Per fue encontrar al frente de la guardia a un tal caballero Bufon, de la gente que acompañaba a sidi Apeles.

—El señor de Alafaria está en su habitación —informó Bufon a los recién llegados.

Fray Per suspiró aliviado y Alaric, presuroso, se lanzó a las escaleras del castillo. El clérigo pensó que por su cuenta se merecía un buen descanso. Ya se haría presente más tarde ante el señor de Alafaria. Estos momentos les correspondían disfrutarlos del todo a padre e hijo.

Reparó en una señora alta y flaca que lo miraba sin decir nada, tiesa la mirada y el cuerpo, como si temiera expresar emociones incontrolables. Fray Per sonrió hacia ella, confiado.

—Rolda —la saludó, era el ama de la cocina—, qué gusto verte, qué gusto estar de nuevo aquí.

El ama siguió tiesa y muda, sólo su labio inferior tembló de modo imperceptible.

Iba a correr él también a su habitación en la parte alta del castillo, cuando a su espalda alcanzó a escuchar una voz de trueno:

—Y vos, padre, ¿adónde vais...?

Era Bufon marcando el alto con majadería.

—A mi habitación... —fue la respuesta ahogada del clérigo.

Bufon replicó:

—No tengo noticias de que el señor os haya dado la venia de seguir en vuestra antigua posición, fray Per... Quedaos aquí, bajo arresto, que voy a consultar al señor.

Dos guardias se colocaron al lado de fray Per.

—El señor don Gondolín te hará pagar caro este atrevimiento... —tuvo el monje ánimos de decir.

Bufon, que era seguido por otros dos guardias, se detuvo de golpe y fue girando el cuerpo y la cabeza lentamente, como si mostrara una enorme incredulidad:

—¿Don Gondolín Braciforte, a quien Dios tenga en su santa gloria...? ¿Os referís a él, padre...?

Fray Per estuvo a punto de caer al suelo sin sentido. Cerró los ojos y sintió el enorme vacío que lo llamaba a sus pies. Logró controlarse y cuando abrió los ojos, la vista nublada, movió la cabeza y detuvo con un gesto a Bufon, que insinuaba seguir andando.

—¿Y tú de qué señor hablas, infeliz? ¿Acaso hay otro? El hijo, único heredero, ha llegado hoy.

—Tarde, fray Per, muy tarde.

—¡Dejadme subir! —se libró de los guardias por un momento e intentó avanzar.

A un gesto de Bufon los guardias, que lo seguían, prendieron al clérigo.

—¡Ruper, Clodaldo, no os atreváis! —se enfrentó fray Per a los soldados.

Los soldados retrocedieron, pero Bufon volvió a ordenar:

—¡Encerradlo en su antigua habitación de la torre! Ya veremos qué dice el señor.

Los soldados, sin atreverse a ejercer violencia contra el monje, pusiéronse a su lado y le invitaron a caminar.

Fray Per se dejó conducir. Necesitaba estar a solas y ponerse a rezar para pedir al Altísimo protección para su alumno. Ya en su celda, se puso de rodillas y estuvo orando largo rato. En la tarde, cuando su estómago hacía tiempo que le reclamara atención, se abrió la puerta y vio aparecer a Bufon y una guardia crecida en número.

—El señor os viene a visitar, padre... —anunció el caballero.

La escolta se formó para dar paso a un perfumado sidi Apeles, de bigote retorcido, ropas elegantes y ademanes cortesanos.

—¡Dios mío! —lo miró fray Per horrorizado por partida doble—. ¿De dónde ha salido este esperpento?

—Fray Per, padre, cuánto lo siento, por mi sobrino amado... Cuánto lo siento por mi hermano querido, que en paz descanse... —fue tejiendo el sidi delante de su guardia armada un discurso engañoso que ponía de manifiesto, como si lo hiciera a propósito, su enorme ambición y maldad—. Después de la sentida muerte de don Gondolín, nos llegó la triste noticia de que Alaric había enloquecido en manos de unos crueles captores suyos... No lo creí nunca. Siempre traté de negociar con esos almoárabes o algo así que se llaman el rescate de Alaric. Pagué una fortuna pero, en vano, no lo soltaban. Ayer nos dieron aviso de que al fin lo pondrían libre, pero que tuviéramos mucho cuidado con él, porque se había vuelto loco... ¡Oh, Dios, qué tortura la mía al imaginar a mi pobre sobrino...! Me resistía, sin embargo, a aceptar que no tuviera remedio, y llegué a pensar que su locura fuese sólo pasajera ante las adversas condiciones en que vivió con esas gentes. ¡Ay, pero, tú que lo has traído, ya sabes cuál es el lamentable estado en que se encuentra...! Parece no tener remedio. ¿Dónde lo encontraste? ¿Cómo es que te lo entregaron a ti? No contestes, luces desconsolado, ya tendremos tiempo de conversar ahora que te nombre mi consejero espiritual. Vacila mi corazón ante estos hechos terribles, Per querido. No puedo aceptar que mi sobrino amado haya enloquecido de la forma que tú, buen padre de la Iglesia, vas a atestiguar por escrito, para dar mayor crédito a nuestras honradas gestiones en la corte, la terrible locura que nos ha obligado a encadenar a mi amado sobrino en una habitación sin luz, para que no corra peligro su vida en sus propias manos. Y para que, en un rapto de esa locura infernal que lo consume, no atente contra la vida de los que lo rodeamos amorosamente.

Fray Per había tenido tiempo de reflexionar sobre lo que pasaba en el castillo, tras la muerte de don Gondolín Braciforte. Comprendió el peligro en que se encontraba Alaric y las cosas que podrían suceder estando el control en manos del tío. Se hizo el propósito de poner toda su fuerza e inteligencia al servicio del muchacho, aunque esto implicara dejar de protestar y aceptar un comportamiento conciliatorio. Esto se lo repitió a solas.

En presencia del sidi Apeles y ante su malvado discurso le costaba tanto trabajo reprimirse que se santiguaba cada vez que sentía ganas de lanzarse en contra del traidor. Trató de comprender lo que implicaba cada párrafo del insidioso discurso.

—Descansa, buen padre —dio por terminada su visita el usurpador con una ligerísima inclinación de cabeza—, mañana hablaremos nuevamente...

—Hasta mañana, sidi Apeles... —respondió fray Per con un gesto idéntico.

—Señor barón... —apuntó el sidi Apeles.

A solas, fray Per pudo llevarse las manos al rostro y restregarse con fuerza para evitar el llanto y la desesperación. "No me puedo quedar aquí, se decía, y ser rehén del sidi Apeles. Ya sé cómo se la gastan estos señores usurpadores. Amenazan a criados y siervos, compran soldados, intrigan en las cortes, asesinan..."

Por primera vez desde que entrara a su cuarto, echó una mirada a sus pertenencias. Se hallaban revueltas, en un desorden total. No tenía importancia, no guardaba nada de valor, ni tenía libros valiosos, ni instrumentos científicos, excepto un viejo astrolabio que descubrió tirado en un rincón. Lo que le inquietaba era perder los vestidos con que solía disfrazarse al salir del castillo con Alaric.

Esos trapos seguían en el fondo del baúl abierto. Allí estaba el traje de escudero y el de menestral, su preferido. ¿Con cuál sería bueno escapar?

Lo estuvo pensando bastante. Su habitación tenía una ventana de tamaño normal y, al lado opuesto, una ventanuca, casi tronera, por la que se proyectaba un rayo de sol un día especial del año.

A través de la ventanuca, pudo observar casualmente el cambio de guardia y reconocer, a cargo de la puerta, a dos viejos soldados, de los más fieles que tuviera don Gondolín Braciforte.

La cuestión estaba resuelta: escaparía en ese mismo momento sin ningún disfraz. La tarde estaba por irse y no quería que la noche le encontrara en su encierro. Había observado que conservaba algún ascendiente sobre la tropa vieja. La única precaución necesaria era salir por la ventana del modo más discreto posible y dejar bien atrancada por dentro la puerta de su habitación. Ah, y llevarse el sólido bastón al que solía darle variados usos.

Así lo hizo. La ventana estaba a una altura mediana y si no se precipitó cabeza abajo al descender al patio fue porque había arreglado, en la niñez de Alaric, la manera de escalar la pared para realizar secretas andanzas por ciertos lugares particularmente interesantes. Don Gondolín estaba al tanto de esas travesuras, y fray Per se prestaba a fingir que se hacían dentro de un secreto total, porque la emoción hace más viva la enseñanza y era ése el real propósito que animaba las aventuras.

La celda daba al patio, a diferencia de otras habitaciones que, en el lado contrario, colindaban con un foso lleno de agua, última y desesperada vía de escape que tenía en caso de fallar ahora.

En el patio se cruzó con miembros de la servidumbre, a uno de los cuales, un mozo de cocina, le dio un mensaje para Rolda que en pocas palabras decía que cuidara de Alaric, mientras que por su cabeza cruzaban los nombres e imágenes de otros personajes cuya situación no podía imaginar siquiera: el caballero Tristanico, Bocatio Alaférico mismo, Ventavera, primo de don Gondolín y muy amigo de éste... ¿Qué se habían hecho? ¿O qué les habían hecho?

Sumido en estas reflexiones franqueó la puerta del castillo sólo para tropezarse dos pasos adelante con un viejo conocido suyo. El necio borrico que dejara en la venta.

IX. *Clariot*

CLARIOT tardó a lo sumo una hora en librarse de las ligaduras. Hubiese podido dar aviso a sus compañeros y, como temiera fray Per, lanzado la banda entera de almogávares por todo el camino al castillo para alcanzarlos en alguna parte. Pero Clariot era orgulloso y lo menos que deseaba era enterar a los demás de su fracaso en retener al prisionero. Sentía que el fraile se había burlado de él de modo más vergonzoso que los truhanes que le robaran su fortuna.

Tampoco iba a regresar al campamento con las manos vacías y ser la burla de otros muchachos de su edad o hasta menores. No, o recapturaba a Alaric o no regresaba nunca con los almogávares. Como esta segunda posibilidad le parecía inaceptable, apenas se vio libre se lanzó a la persecución de los bribones aquellos.

Escogió un atajo en la dirección que debería llevarlo a cortarles el camino al anochecer, si tenía suerte, o poco después del amanecer, pero apenas anduvo diez minutos comprendió que no podía imitar el paso que imprimía el almocadén en sus andanzas y que de esa forma jamás los alcanzaría. Lo mejor era conseguir una buena cabalgadura y en esas condiciones tratar de caerles encima. Alaric y el fraile tendrían que detenerse a descansar. Él no lo haría, de modo que a lo sumo estaría sobre los fugitivos esa misma noche.

La razón de que fallaran los cálculos del novato estriba en el hecho de que en Tardenelas no había caballos a la venta. Cierto,

71

poco antes un fraile había comprado un par de ellos, pero ni siquiera éstos estaban a la venta, sino que eran el medio de transporte de un viejo judío que los usaba como bestias de carga. El fraile cargaba una bolsa repleta de monedas de plata, así que, mercader al fin, el dueño de los caballos aceptó finalmente hacer tratos con él. Eso sí, aprovechó las circunstancias y se quedó con un burro del que se deshizo el fraile de mil amores. Clariot, en cambio, llevaba el zurrón vacío fuera de algunos trozos de pan, por lo que la única cabalgadura (el burro de pronto cobró esta categoría) estaba fuera de sus posibilidades.

Lo estuvo pensando un momento. Ideas alocadas las suyas sin asidero posible. Por fin, un pensamiento sensato le tocó la frente y entonces el novato volvió a buscar al judío.

—Quizás pudieras darme a crédito el borrico, Ben Yosef...

—¿A ti, mocoso? —estalló el judío, a quien Clariot ya había exasperado en otro momento.

—Eso se acostumbra en los tratos comerciales...

—Pero, tú, infeliz, ¿qué garantía puedes ofrecer?

—Esto —sacó del cinto el cuchillo colltell.

—Eso no vale nada...

—Así no vale nada —reconoció Clariot. En seguida se avivaron los negros ojos del muchacho y añadió, acercando la punta del cuchillo al cuello del judío—. Pero una pulgada en la garganta, vale un poco más: tu vida, Ben Yosef, ¿crees que sea suficiente garantía?

Y para hacer cierta la amenaza, Clariot punzó el pellejo de su interlocutor con la punta afilada del colltell. Una minúscula gota de sangre escurrió a toda prisa en el cuello del judío quien se apresuró a cerrar el trato.

De esta forma obtuvo Clariot una montura, incluso se hizo de una lanza corta, y pudo salir a la persecusión de su ex cautivo y del fraile de engañifas. Hay que destacar el empeño de Clariot por darles alcance en un borrico de lo más caprichoso y obcecado. Anduvieron de día y de noche, las veces que el burro lo permitió, casi sin descanso, a excepción del segundo día, cuando, tras empaparse ambos en la tormenta, el burro se empeñó, al caer la noche, en no moverse de un lugar. Probablemente de haber seguido la marcha, Clariot hubiera alcanzado a Alaric antes de arribar el fugitivo al castillo. No tiene caso imaginar lo que hubiera ocurrido si el mozalbete se empeña en capturar a Alaric. Lo importante para nuestro relato es destacar la naturaleza impredecible del borrico que, al día siguiente, algo reconoció en el paisaje que le hizo saber que el heno del pesebre estaba cerca, y se lanzó a verdadero galope camino al hogar. No tardó en disminuir el tranco el animal, pero siguió andando ligero y, al atardecer, Clariot divisó la fortaleza. Desde el día anterior, cuando no pudo hacer marchar al animal de noche, daba por perdido a su antiguo prisionero.

Ahora el novato no sabía qué hacer, ni qué caso tenía haber llegado hasta las tierras del señor de Alafaria. Por lo pronto, se apeó de su montura y, halando al necio jumento que lucía inquieto con ganas de correr hacia el pesebre, buscó el mirador desde el cual hiciera señas el almocadén. Quizá pudiera dedicarse a saquear a los pobladores del lugar en venganza y, una vez que hubiera cobrado botín suficiente, regresar al campamento con una historia lo suficientemente heroica como para justificar la pérdida del cautivo. Es verdad que no tenía práctica alguna ni mucho ánimo para emprender tropelías por su cuenta, pero algo tenía que inventar para justificarse ante sí mismo y los demás.

En los campos cercanos algunos labradores de la joya abandonaban las tierras del señor recién aradas y, afuera del castillo, se notaba cierto movimiento de gentes. En el último tramo del camino, se había encontrado con algunos aldeanos. Ahora, si tenía que poner en práctica algún plan, tendría que cuidarse de ser visto.

En eso, en una distracción suya, el burro salió a la carrera, en pos del dulce olor del pesebre, o de lo que le atraía en el castillo.

El muchacho, tan rauda carrera emprendió el jumento, ni siquiera tuvo oportunidad de hacer el intento de alcanzarlo.

Fue por esto que el hermano Per casi fue arrollado por el borrico en las mismas puertas del castillo. El animal dio muestras de alegría al reconocer a su amo, quien, verdaderamente sorprendido, consideró que la aparición de su montura era un hecho providencial. Tomó las riendas del jumento y lo condujo un buen trecho hasta salir de las tierras que se permitía poseer a los campesinos, tras las tierras del señor. Luego se montó en el animal y tomó el sendero que llevaba a la Ermita de la Vera Cruz. No bien indujo al borrico a seguir un rítmico trotecillo, el animal cayó en la cuenta de que el propósito que lo animaba a correr al establo había pasado a segundo término con el encuentro del amo. Por un momento, se confundieron la alegría de llegar al pesebre con el contento de encontrar al amo; pero, después de todo, la inteligencia de los borricos no es tan corta como se cree, el obcecado animal acabó por recordar el olor del heno, el sabor dulce del pienso y alegrías igual de mundanas que, antes de las últimas peripecias, no había apreciado tanto. A partir de estas supinas reflexiones volvió a resistirse a seguir andando, pero el clérigo le conocía bien y, unas veces a rastras y otras a empujones, consiguió salir de los sitios que eran familiares al borrico. Fuera de estos lugares que tantas reminiscencias traían al animal, su paso recobró la ligereza de sus buenos años.

Desde su mirador Clariot no tardó en descubrir la figura del fraile conduciendo primero al borrico, luego montado en el animal y, poco después, cuando alcanzó a pasar junto a él, lo fue siguiendo a escondidas, aprovechando las rocas y las breñas para ocultarse. La maniobra se facilitó ante la resistencia de la montura para seguir adelante y lo atareado que iba el hermano en su empeño por conducirla. El muchacho esperaba que en cualquier momento el fraile perdiera al borrico, que parecía empeñado en dar pasos para atrás, pero, ya dijimos, pasados ciertos límites, el animal recobró la compostura y comenzó a andar a buen paso.

—De aquí, para la ermita —se dijo el hermano Per. Si mantenía el paso, lo cual era factible apenas reconociera su montura un camino que había hecho repetidas veces, podría andar un buen trecho antes de que las tinieblas de la noche los obligaran a descansar.

No llegó muy lejos porque, cuando penetraba en el bosque, Clariot, que en el ínter se había adelantado unos pasos, salió a cortarle el camino.

—¡Alto, falso fraile barrigón! —exclamó al aparecer a la mitad del sendero.

—Lo que faltaba... —alcanzó a murmurar el clérigo.

Fray Per, pese al providencial encuentro que tuvieran Blas y Ferno con la partida de sarracenos, no se arredró al reconocer en el joven almogávar la misma soberbia figura de aquellos sus salvadores. Al contrario, blandió en la diestra su largo bastón y arremetió contra el novato lanzando el burro a la carrera.

Clariot tuvo un instante de duda. ¿Qué heroica historia iba a referir en su campamento? ¿Que atravesó con su lanza a un borrico para derribar al fraile que lo atacaba con un palo por arma? Tenía que derribar al fraile de otra forma menos socorrida por los guerreros almogávares. El sentido del ridículo había invadido al novato y ello le paralizó un instante. El instante preciso que fray Per necesitaba para decidir la situación. Así que, mientras el muchacho pensaba en cómo transformar un episodio ridículo en algo heroico, el otro le azotó el bastón en la cabeza cubierta apenas por un tejido de cuero.

Esto hubiera bastado a fray Per para poner al muchacho fuera de combate y continuar su camino, si no se hubiera apresurado en seguirlo al suelo. En efecto, el mozárabe cayó al suelo, pero al realizar su violento movimiento, el jinete perdió el balance y se derrumbó del borrico sin poderlo evitar.

Fray Per pudo recuperarse antes que el novato y en mejores condiciones físicas. Recogió el bastón y pensó que tendría que apresurarse a correr tras el borrico que se había alejado para meterse en un claro del bosque. Antes, sin embargo, había que escarmentar al novato, a bastonazos, si a mano venía, para que de una vez por todas lo dejara en paz. De modo que se le acercó blandiendo el bastón y profiriendo algunas amenazas, mientras que el muchacho, sin acabar de reponerse, sentado en el suelo, le miraba asombrado, el rostro ensangrentado a causa de una leve descalabrada en la cabeza. La sensación del ridículo había saltado de la imaginación a la realidad. La realidad era dolorosísima y Clariot tuvo que reconocerla cuando el fraile dejó caer sobre él un nuevo bastonazo.

Nada más natural que el novato se protegiera la cabeza con las manos. Lo extraordinario fue que con ellas detuvo a medias el golpe, atrajo hacia sí al fraile, halando el bastón, lo recibió con ambos pies contra el estómago y, haciendo un leve giro del cuerpo hacia atrás, aprovechando el propio impulso del atacante, lo lanzó en tremenda voltereta por los aires. Fray Per fue a dar de espaldas al suelo. Un momento después, tenía al mozárabe encima suyo con el filoso cuchillo colltell en la garganta.

—Permanece tranquilo, fraile barrigón —pronunció entre dientes.

El rostro asustado del fraile hizo sonreír al novato. No esperaba el barrigón verse derrotado cuando hacía un momento era el triunfador, ¿verdad? Es que no conoce a los guerreros almogávares que... Se le revuelven los pensamientos. Bueno, ¿pero qué está haciendo Clariot ahí encima del gordito...? La vista se le nubla, se siente mareado. Hace un esfuerzo.

—¡Alaric! —se acuerda—. Tienes que llevarme con él...

—¿Alaric? Dios lo cuide, es ahora prisionero en su propio castillo...

—¿Prisionero mi antiguo prisionero? —Clariot pronuncia con dificultad las palabras porque una oscuridad interna trata de invadirlo.

—Su tío, el sidi Apeles, ha usurpado el señorío...

—El sidi Apeles... —apenas escucha Clariot la lejana voz y se hace una luz en su cerebro. Pero esta luz es relativa porque al mismo tiempo que el nombre del sidi atrae un torbellino de imágenes, se acaba por nublar del todo su entendimiento.

—¡Santo cielo! —exclama fray Per cuando el muchacho, bañado en sangre, se derrumba a un lado.

X. La Ermita de la Vera Cruz

EL hermano Samuel escribe y escribe a todas horas. Su trabajo fluye impetuoso gracias no sólo a las últimas experiencias al lado de Per y Alaric, sino a un resumen que le llegó del monasterio de Santa María de Ripoll sobre la copia de un texto del sabio Tales de Mileto. La palabra *electricidad* salta entre las demás letras y el hermano Samuel quisiera a su vez saltar de emoción, porque los comentarios le vienen en el momento oportuno. No había probado antes con un objeto de ámbar. Ahora lo hace. Y sí, la electricidad impregna con facilidad la sustancia. Ya ha probado otra clase de objetos y ahora puede establecer una primera clasificación: sustancias electríferas y sustancias no electríferas.

—¿Te das cuenta, Per, cuánto hemos avanzado?

El hermano Per está muy preocupado por los últimos acontecimientos y no atiende a Samuel. Éste deja de escribir sólo para visitar a sus enfermos y pasar con ellos las horas convenidas. Luego regresa a seguir llenando las hojas en blanco con una letra muy legible y sin adornos. Tiene que darse prisa porque el plazo convenido con el padre abad casi expira, aunque tiene la certeza de que con la desgracia ocurrida al señor de Alafaria el plazo podría alargarse algunos meses.

"Dios siempre está conmigo. Bendito sea —se dice Samuel—. Si no hubiera ocurrido nada al señor de Alafaria, ahora estaría yo haciendo mi equipaje y no tendría ninguna esperanza de un nuevo aplazamiento."

Días atrás habían llevado a don Gondolín Braciforte a darle cristiana sepultura a la ermita. Una verdadera desgracia para Alaric, lamentó el hermano Samuel. Pero, unas horas después de la ceremonia, cuando se retiraron los dolientes, Bocatio pidió su ayuda para sacar a don Gondolín de la cripta y el médico cirujano que asistía al Alaférico le administró un antiveneno que hizo revivir al señor de Alafaria, aunque no lo curó del grave estado en que se hallaba antes de este engaño.

Bocatio pidió entonces ayuda a fray Samuel. Éste, sin que se la hubieran pedido, se hubiera aprestado a brindarla, cuanto que adivinó casi de golpe la clase de envenenamiento que el barón sufría. Había visto, dados los síntomas, un caso similar y explicó el remedio. Tenían que conseguir un preparado de ciertas hierbas y minerales, algunos de los cuales era menester obtenerlos en tierras lejanas. Escribió de inmediato a amigos o conocidos suyos, para que le ayudasen a conseguir los productos. El Alaférico, deseoso de apresurar la curación del señor de Alafaria, mandó al médico cirujano, junto con un mozo de confianza, por las hierbas y minerales a los lugares indicados por el hermano Samuel.

Samuel daba por hecho la curación de don Gondolín. Y pensaba que el señor de Alafaria, una vez repuesto, necesitaría una cura prolongada. O mejor dicho, tres o cuatro curas en el lapso de tres o cuatro meses. Justo el tiempo que él necesitaba para dar por terminada su obra magna. Claro, si seguía escribiendo al ritmo cn que lo hacía en los últimos días. Y como sólo él sabía de esas curas posteriores, tendría que permanecer en la ermita cuando menos ese tiempo. ¿No era, pues, un hecho providencial?

Estaban a la espera de los enviados por las hierbas cuando arribó a la ermita el hermano Per.

Bocatio y Per, tras contarse sus mutuas peripecias y sufrimientos, comprendieron que eran ambos aliados y lamentaron mucho su mutua falta de simpatía. De haber habido un poco de comunicación entre ambos, por ventura Alaric estuviese ahora con ellos al lado del padre.

Se volvieron, a partir de la misma mañana en que llegó fray Per, dos inseparables discutidores que nunca estaban de acuerdo pero que trataban pacientemente de conciliar sus opuestos puntos de vista. De ahí que Samuel no encontrara eco alguno en su amigo al tratar de comunicarle sus descubrimientos. La inteligencia de Samuel, así como la de Alaric, fluía en imágenes, se desbordaba gracias a las palabras, tanto cuando escribía como cuando hablaba. Siente enormes deseos de contarle a alguien las ideas fundamentales que van dando cuerpo a su obra. Bocatio no entiende un comino, y fray Per sólo piensa en encontrar una fórmula para rescatar a Alaric, antes de que sea demasiado tarde.

En cambio, el joven enfermo era todo oídos. No tenía nada grave, excepto una descalabrada en el cráneo. Había perdido mucha sangre en lo que fray Per pudo contener a medias la hemorragia y conducirlo a la ermita, y por ello estaba débil, aunque no tardaría en reponerse con los buenos platos que se servían en el hospital.

—Lo explicó antes que yo un señor llamado Tales de Mileto —soltó la lengua el hermano Samuel—. Se frota una barrita de ámbar con un tejido de lana, y la pieza de ámbar atrae ligeros objetos: pelusilla, trocitos de papel, tus propios cabellos... —Samuel eriza la ensortijada melena del muchacho, al acercarle un trozo de ámbar que ha frotado entre sus ropas—. ¿Ves? Este fenómeno lo descubrieron, según Tales de Mileto, unas tejedoras mientras elaboraban lana. Es probable que fuera conocido mucho antes por hombres o mujeres que no se lo pudieron explicar. Yo he visto que las fuerzas ocultas en el ámbar, esa electricidad de Tales de Mileto, no sólo viven allí; por ello, al principio me resistía en aceptar el término *electricidad*, propio de lo que es del ámbar, sino que, pienso, lo que se revela en el ámbar pudiera manifestarse, de otra manera, en muchas sustancias, si no es que en toda la naturaleza. He dividido, por cuestiones prácticas, a las sustancias, en electríferas y en no electríferas; es decir, en sustancias que producen y que no producen electricidad. Electríferas son el vidrio y el ámbar; no electríferas son el hierro y el bronce.

En este tenor fue Samuel explicando a Clariot sus principios de filosofía natural hasta que, al llegar a cierto punto, se interrumpió de golpe y, aunque faltábale hacer una curación a otro de los enfermos, salió corriendo al rincón donde tenía su manuscrito, para añadir los torrentes de palabras que le venían impetuosos a la pluma.

Sin la ropa montaraz encima, limpio y tirado apaciblemente en un camastro del hospital, Clariot, con la coronilla rasurada y con un parche en ella, parecía un muchachuelo común y corriente.

—Así que tú eres el terrible bandido que ha asustado al hermano Per... —le había dicho Samuel, al verlo despierto la primera vez. Entonces ya estaba limpio y sin su uniforme guerrero.

Después, el fraile se había olvidado por completo de las malas referencias que le habían dado del enfermo, y simplemente le parecía estar hablando con un jovencito cualquiera, o quizás no como cualquiera, sino del estilo de Alaric. Incluso le había hecho algunas caricias, alborotándole el cabello y arrancándole una extrañada sonrisa.

Clariot mismo se sentía muy diferente. El contacto de su cuerpo semidesnudo con unas sábanas limpias le sumía en el recuerdo de vivencias similares en una época no muy lejana e infinitamente más feliz, cuando ni siquiera imaginaba lo que era una algara y menos un guerrillero almogávar. Luego las atenciones de los hermanos, la comida con un dejo familiar, el ambiente tranquilo. Y de golpe, fray Samuel lo trataba como sus viejos maestros de la escuela, aunque al final saliera corriendo interrumpiéndose a la mitad de una frase. Sentíase a gusto, pero en ocasiones se acordaba de su antiguo prisionero o del almocadén o de su campamento y se estremecía temeroso de su suerte. ¿Podría escapar de la ermita? ¿Podría regresar con Siripo de Famagosia? ¿Resistiría las burlas en el campamento...?

No acababa de comprender cuál era su situación; por ello, apenas sintió que las fuerzas regresaban a él, comenzó a explorar sus posibilidades. Esto ocurrió al tercer día de su ingreso al hospital, un día después de la lección a medias, y como la celda del hermano Samuel se encontrara inmediata al hospital, no tardó en caer en dicha habitación.

Samuel había dejado de escribir en esos momentos y estaba comprobando el efecto de una barrita de ámbar en su botella, tratando de calcular la fuerza acumulada. Al ver al muchacho asomar le hizo una seña de que se acercara.

—Observa bien —siguió frotando el ámbar con un trozo de lana—. La botella no contiene más que agua y unos trocitos de hierro. Si acerco la barra de ámbar que estoy frotando a la aguja de metal, que atraviesa el tapón, estoy guardando esa pequeña fuerza que te hizo erizar los cabellos, ¿recuerdas?

—Sí, la electricidad —pronunció Clariot. Samuel se paralizó un instante y sus ojos muy abiertos se clavaron en el jovencito, cuya memoria, le pareció, era extraordinaria.

Luego continuó:

—La fuerza del ámbar, la cual, como ya te expliqué, no sólo contiene el ámbar, se guarda en la botella disuelta en el agua. ¿Crees poderla reconocer si de pronto esa fuerza que levanta unos cabellos y una pelusilla aumentara cien veces si no es que trescientas?

—No lo sé.

—Prueba.

Los negros ojos de Clariot se clavaron en los ojos azules que lo veían animosos. Una corriente de viva simpatía se había establecido entre ambos desde un comienzo; ahora se hacía patente a cada uno. Aceptó, pues, de buena gana, encantado con las deferencias de Samuel. El fraile correspondió con una sonrisa y le señaló un par de cuchillos pequeños, cuyas hojas estaban unidas por una delgada cadena de cobre que pasaba por una perforación en el medio.

—Toma uno en cada mano, por el mango —dijo.

Explicó enseguida que debía colocar la hoja del cuchillo que tenía en la mano izquierda en el vaso de bronce que contenía la botella y acercar después la punta del otro cuchillo, poco a poco, sin llegar a tocarla, a la punta de la aguja que sobresalía de la botella.

Clariot lo hizo. Puso el segundo cuchillo a dos palmos de distancia sin que ocurriera nada. Fue acercándolo lentamente hasta que al llegar a medio palmo una chispa muy luminosa saltó de una punta a otra. El jovenzuelo saltó sorprendido, creyó que un relámpago había brotado de las puntas. Volvió a repetir la operación y, esta vez, contuvo la emoción al producirse el fenómeno eléctrico y sostuvo firmemente el cuchillo a poca distancia de la punta boluda de la aguja. No estaba seguro de que aquella chispa fuera un relámpago, menos una brizna de fuego o un rayo de luz. Se parecía mucho a las chispas que generan fuego al golpear dos pedernales.

La intensidad de la chispa y el chasquido intermitente crecieron por un momento. Entonces se abrió la puerta de la habitación y entraron a ella precipitadamente Per y Bocatio. La escena que contemplaron los dejó un instante sin habla.

Instintivamente, Clariot dejó la botella, saltó a un lado de Samuel y adoptó una guardia defensiva, protegiéndose con los cuchillos.

—¡No intentes nada, pillo! —exclamó fray Per alarmado.

—¡Oh, déjalo! —repuso Samuel, recogiendo los cuchillos de manos del muchacho.

—Vete a tu cama —ordenó Bocatio—. Todavía estás enfermo.

—¿Lo queréis dejar en paz? Es mi ayudante.

—No sabes lo que dices, Samuel —saltó fray Per—. Es un verdadero bandido, de esos almogávares. Tú no los conoces, pero dos de estos bandidos terribles hacen huir a seis sarracenos. Yo lo vi con mis ojos. Y este muchacho es uno de ellos.

Por primera vez en varias semanas, Samuel rió.

—Eso está muy bien. Si este muchacho hace correr a dos o tres sarracenos con su sola presencia, me parece excelente.

Fray Per y Bocatio Alaférico estuvieron por primera vez en la vida de acuerdo y, muy disgustados con el hermano Samuel, salieron de la habitación.

Tenían la intención de discutir con él un plan en el que se habían puesto trabajosamente de acuerdo, para intentar el rescate de Alaric. Como el asunto era de suma importancia, regresaron al poco tiempo y, de manera muy cortés, pidieron a Samuel que despidiera al muchacho porque querían tratar de algo en extremo delicado.

Cuando Clariot se retiró, expusieron, a grandes rasgos, un plan para mandar a alguien de confianza al castillo y averiguar la situación del hijo del señor de Alafaria.

Si Alaric se hallaba encerrado en su habitación, podría, siempre y cuando permaneciera Rolda en la cocina como ama, facilitarse su escapatoria gracias a uno de los pasadizos secretos del castillo, una de cuyas entradas ocultas se localizaba en la cocina. Si había sido encerrado en una de las torres, la cuestión se complicaba sobremanera, ya que ningún pasadizo se comunica con ellas. En fin, para preparar un verdadero plan, se requería información precisa sobre Alaric. Lo menos que esperaba fray Per, era que el sidi se atreviera a encerrarlo en el calabozo.

Samuel abandonó por fin el nimbo extasiado donde se encontraba desde hacia diez días, y puso los pies en la tierra. Para empezar pidió pormenores de los últimos sucesos, y acabó por dar la razón a sus interlocutores. Tenían que actuar con rapidez.

Habían pensado en pedir la ayuda de alguno de los monjes jóvenes del monasterio de San Valero, para que éste llegase al castillo sin despertar sospecha, recogiese informes de la servidumbre fiel y, de ser posible, se colase a una de las habitaciones que comunicaban a los pasadizos secretos.

—Tengo en mente al hermano Hermilo —observó fray Per, que conocía bien a los hermanos de San Valero—, ese monje del

Teruel que se inclina por el cultivo de rosas... Es muy vivo y servicial.

—Tardaremos tres días en ir y volver; el padre abad tal vez se oponga; Hermilo nunca ha estado en el castillo... —comenzó a enumerar Samuel.

—Mejor —interrumpió Bocatio.

—¿Tenéis acaso un plano de esos pasadizos...?

—Lo hemos elaborado entre los dos —asintió fray Per—. No fue fácil.

—Me gustaría verlo.

Bocatio extendió un folio grande de papel con cuatro figuras que representaban cada una de las plantas principales del castillo, y una enredada trama de trazos que daban idea de los detalles de cada habitación.

—¿Y esto pensáis vosotros que alguien lo podrá entender?

—Me parece que sí —respondió Bocatio muy serio.

—¿Tú lo entiendes, Samuel? —repuso fray Per.

—Creo entender algo.

—Entonces cualquiera que tenga un entendimiento visual de las cosas, podrá entenderlo bien, hermano. Yo he notado, y te lo he hecho saber, que tu modo de comprender el mundo no es por medio de imágenes sino por medio de palabras.

—Qué bueno que sigues desparramando palabras porque gracias a eso, dices, creo, digo, ya tener la solución. Iré yo. Vuestro sidi Apeles no me conoce. Estuve en el castillo hace veinte años y de algo me he de acordar.

—¿Tú? —se estremeció Per—. Antes de exponerte a ti, preferiría retar a un duelo a muerte al sidi.

—¡Ja! ¡Con lo diestro que eres en armas...!

—La idea podría ser buena —interrumpió Bocatio Alaférico—. Me refiero a que el hermano Samuel cumpla con la primera parte del plan. La segunda, dependiendo de la situación, la encomendaremos a algún noble caballero, de los numerosos vasallos del señor.

—Tú, Bocatio, debes permanecer al lado de don Gondolín; Samuel, cumplirá bien su misión; yo iré tras él, bajo algún disfraz, a encontrar refugio temporal entre los campesinos, a fin de establecer contacto con Tristanico, Rocabelle o con alguno de los guardias del sidi... Lo importante es comprender la ubicación de los pasadizos, para guiar después a nuestra gente.

—Seguid hablando, hermanos —sonreía Samuel porque una idea se iba aclarando en su mente.

Y, arrebatándose las palabras uno a otro, Bocatio y fray Per fueron explicando los detalles del plano a Samuel, quien, a fin de hacerlo entendible, añadíale alguna nota por escrito.

—Bien, creo haber comprendido vuestro plan y vuestro plano —tomó Samuel la palabra al final—. Ahora escuchad lo que voy a hacer. El hermano Per se quedará aquí, con Bocatio, ambos son necesarios para el cuidado del señor barón. No voy solo, iré con un novicio. Un joven ágil y menudo e inteligente, capaz de colarse subrepticiamente por cualquier lugar. Cuento con él para rescatar a Alaric, sin intervención de vuestros caballeros.

—¿Has pensando en algún novicio en particular?

—Sí, pero tenéis que confeccionarle el disfraz pertinente.

Fray Per exclamó muy extrañado:

—¿Un disfraz de novicio...?

Y entonces lo comprendió de golpe:

—¿No estarás pensando hacerte acompañar por ese bandido que tenemos...?

—Adivinaste, hermano— admitió Samuel y, no sin un dejo de ironía, añadió—: Tu entendimiento es muy presto.

XI. En la boca del lobo

AL día siguiente amaneció nublado y con amenaza de lluvia. Clariot y Samuel se pusieron en marcha, sin ninguna previsión contra el meteoro. Iban a pie, ya que el borrico, la única montura disponible, era de sobra conocido para los habitantes del castillo, quienes podían asociar a los supuestos viajeros con fray Per.

Clariot, con los hábitos de novicio, estaba irreconocible, aunque no dejaba de tener ese donaire que también lo distinguía entre los jóvenes almogávares. Bajo el hábito, pese a las protestas de fray Per, guardaba su largo cuchillo, única arma con la que se lanzaban a la aventura. Estaba al tanto de la misión y del papel que jugaba en ella, todo lo cual le parecía muy a propósito para referirlo después en el campamento, al que no pensaba renunciar, aun si abandonara el propósito de regresar con su antiguo prisionero. La historia de Alaric y don Gondolín valían el perdón del almocadén, se decía. Y luego esas chispas fantásticas que parecían de encantamiento, y ahora su disfraz de novicio. ¡Y la misión de rescate! ¡Uf! Embellecería su relato de tal forma que, en vez de que reparen en que fue burlado doblemente por un fraile, tendrían que celebrar sus aventuras. Sólo le faltaba el toque caballeresco, para hacer su historia propia de un trovador. No era culpa suya que las doncellas brillaran por su ausencia en la ermita. Tal vez en el castillo fuera distinto...

Fray Per, a hurtadillas del hermano Samuel, avisó a Bocatio que iría tras Samuel y su acompañante para cuidar al primero del segundo, y para auxiliarlos en caso necesario. Trataría de alojarse en alguna choza del bosque cercana al castillo y de establecer contacto con algún caballero, tal como habían pensado originalmente. Aún si el hermano Samuel lograse rescatar a Alaric con el auxilio del jovenzuelo, existía el peligro de que, una vez fuera del castillo, el bandido almogávar tratase de hacerlo de nuevo prisionero.

En verdad esta posibilidad se hacía cada vez más remota, cuanto que el sabio se había transformado de buenas a primeras en un personaje muy importante para Clariot. Y puesto que Alaric era alumno del hermano Samuel, el guerrillero novato estaba dispuesto a dejarlo en paz. Había en Samuel, en su físico, en su carácter, en su sabiduría, en su trato afable, algo de sus antiguos maestros cordobeses y de su propio padre y del hermano de su madre, todos a quienes recordaba con profundo afecto. Y tal vez había algo más que el jovenzuelo no alcanzaba a vislumbrar claramente, pero que en su interior tendía fuertes lazos de simpatía: Samuel era la clase de persona que él quisiera ser.

En el camino, el fraile y el falso novicio se entretuvieron en contar su historia respectiva y su versión de los últimos acontecimientos. El cielo siguió nublado, hasta el mediodía, sin haberse desatado las aguas excepto un chipichipi tempranero que apenas humedeció la carretera.

Clariot refirió el trato del almocadén y el sidi Apeles y la razón de que él hubiera seguido a fray Per y a Alaric hasta el propio castillo. Samuel explicó la situación que privaba en el castillo y los lazos que lo unían con Alaric y el señor de Alafaria.

Clariot sostuvo que los señores son todos iguales, que abusan de los siervos y vasallos, que urden intrigas entre sí, y que más valdría que Alaric se encerrara en un claustro antes de convertirse en un canalla, como seguramente lo era su padre don Gondolín.

—Los siervos en las tierras del señor de Alafaria se han liberado de muchas de sus obligaciones, como la alfarda, la intestia, la exarquia, la dida, y las pocas que conservan, como las jornadas dedicadas a cuidar las tierras del señor, la joya, la tirada, la segada y la trillada, son un servicio que se da a cambio de la protección que el señor les brinda...

En esto no podían coincidir, quizá porque Clariot se sentía obligado a defender el punto de vista del almocadén Siripo de Famagosia, y justificar el pacto con el sidi Apeles y el secuestro de Alaric. En cambio, el largo camino, más largo porque el hermano Samuel no podía seguir el ritmo que imprimía Clariot a la marcha, se hizo corto ante la animada conversación que sostuvieron en torno de otros variados temas. Entre ellos, tocó a Clariot referir sobre los estudios que hacía en Córdoba, hasta la edad de catorce años. Samuel lo puso a prueba planteándole un problema de matemáticas y haciéndole unas preguntas de astronomía, que el muchacho respondió con bastante tino y rapidez, y a partir de esos detalles el sabio se sintió en mayor confianza para comentar sobre el empeño que ponía en terminar su manuscrito y la razón de que dejara el monasterio de San Valero.

—Es probable que si hubiera empezado a alimentar la botella con la idea de las fuerzas que guarda el ámbar, los hermanos no se hubieran alarmado tanto de mi trabajo; pero empecé con la idea de encontrar la esencia del hierro y, al sorprender accidentalmente un fenómeno que ahora sé es el llamado electricidad por Tales de Mileto, creí que se manifestaba en la botella algo vivo, alguien... ¿Puedes imaginarte la emoción experimentada? Un abismo insondable se abría a mis pies, porque esa manifestación, vista así, ángel o demonio tendría que ser. Las dudas y los temores principales se disiparon cuando pude trabajar junto con el hermano Per y su discípulo Alaric. Gracias a ellos reencaucé el camino andado hacia el terreno de la filosofía natural y ahora, a pesar que tan solo sé que me he asomado a la superficie de un gran misterio, estoy describiendo mis experiencias y escribiendo una interpretación de las mismas. Lo grave es que aquellas dudas mías, aquellos horrores que creí entrever en un principio, de alguna manera permearon el espíritu de los hermanos de San Valero quienes, en su mayoría, comenzaron a inventar historias en torno de la botella. Creo que espiaban mi trabajo y escucharon mis propios comentarios, cuanto que suelo hablar mucho conmigo mismo y con la gente en la que confío. Para calmarlos les di a leer mi primer manuscrito, plagado, ahora sé, de erróneas interpretaciones, pero que explicaba los hechos racionalmente. No los convencí; por el contrario, se alarmaron más. El abad me pidió que me trasladara de convento para que no se llegase al grado de prohibir mis trabajos. Estoy de paso en la ermita y antes de abandonar estas tierras quería yo concluir el manuscrito. Éste era un momento en que las palabras fluían solas en la pluma. Momentos como ése son excepcionales, pero me detengo con gusto para salvar a quien podría continuar mi obra.

—Cuando estábamos en el campamento —confesó Clariot— lamenté que Alaric fuese un hijo de señor y no un truhán...

—¿Por qué?

—Porque un truhán podía enseñarme algunas pillerías y un hijo de señor, nada.

—Confieso que hay señores que se han ofendido cuando hemos insinuado la posibilidad de enseñarles a sus hijos a leer y escribir, pero no es el caso de don Gondolín...

—Me equivoqué con Alaric, pero también él nunca dio muestras de saber mucho...

—Es un muchacho muy diferente a ti, no hay en él sombra de altanería ni de afectación.

—¿En mí, sí?

—Tampoco, si bien la modestia no es tu virtud principal.

—Pues quizá sea el principal defecto de Alaric. Si tan sólo me hubiera insinuado que sabía algo interesante, yo hubiese visto con el almocadén la manera de salvarle...

—Pues a mí me preocupa, por parte tuya, cómo te dejas deslumbrar fácilmente por todo lo que se sale de la norma. ¡Un truhán, querías que un truhán te enseñara pillerías!

—No veo nada malo en ello. Unos truhanes me engañaron y me robaron la fortuna que dejó mi familia. ¿Por qué no había yo de estar prevenido para no caer de nuevo en el mismo error?

Atardecía ya cuando volvieron a juntarse nubes oscuras en el horizonte, una carreta vino a alcanzarlos y pudieron seguir el viaje de un modo descansado. La carreta llevaba leña y carbón, y los tres campesinos que iban en ella pensaban ofrecer la carga al señor de Alafaria.

En el castillo comenzaba a sentirse el estilo de gobernar errático y caprichoso del usurpador, pero había cuestiones cuya naturaleza escapaban a la voluntad de una persona y respondían a la tradición y a las costumbres arraigadas con los años. Así, por ejemplo, los servicios divinos prescritos por la Iglesia, se cumplían de modo regular y piadoso por la mañana y por la noche. El sidi Apeles podría ser el tipo más ruin y malvado del reino, pero al mismo tiempo era profundamente religioso. La carreta que traía a Samuel y a Clariot llegó a tiempo para que los viajeros se unieran a las oraciones de esa noche y, en seguida, pasaran a cenar en la mesa inferior confundiéndose con dos docenas de huéspedes entre peregrinos, mercaderes y campesinos. La hospitalidad era otro asunto que no pasaba por la cabeza del usurpador modificar, cuanto que el flujo de viajeros por sus dominios le beneficiaba ampliamente. Tanto era así que, de pronto, el hermano Samuel tuvo temor de, en un exceso de cortesía, ser conducido con el falso novicio a la mesa del usurpador, situación que hubiera retrasado sus planes una noche cuando menos. Por suerte no fue así.

En la sala de banquetes el sidi Apeles cenaba con un reducido número de acompañantes que, empero, parecían divertirse mucho más, a juzgar por las risas, carcajadas y grandes voces que daban. La reunión era amenizada por una pequeña orquesta de cuerdas, acomodada bajo una galería, que interpretaba viejas y desentonadas canciones. Era una fiesta privada.

Abajo, mientras los demás daban cuenta de los alimentos servidos en abundancia, el novicio se dedicó a examinar la manera y el momento de colarse a la cocina. En el momento en que lo hizo, Rolda se hallaba tan ocupada ordenando diez cosas a la vez que, cuando el muchacho quiso hablarle discretamente, ella se lo quitó de encima:

—No me molestes, te lo suplico. Estoy sumamente atareada.

Estaba sirviendo una fuente con un lechón, adornándola exquisitamente con verduras crudas y cocidas. Una joven de escasos diecisiete años bajaba en ese instante las escaleras, con un ánfora entre manos a todas luces vacía. Rolda la vio de reojo y, al reparar en la figura desganada, se quedó en alto con el cucharón que vertía una salsa sobre las verduras, y se fijó en los ojos que contenían a duras penas unas lágrimas. La ama de cocina volvió a su labor, pero en seguida alzó la vista y se encontró justamente con lo que buscaba su mirada acerada: los ojos oscuros del novicio que seguía a la expectativa.

—Alisanda —suspiró Rolda imperceptiblemente—, el muchacho se quedó con hambre. Sírvele algo, pero llévalo al comedor, aquí estorba.

Con un puño diminuto la joven se enjugó una lágrima furtiva.

—Vamos —guió entonces al muchacho sin darle oportunidad de nada más que de seguirla.

Clariot pescó al vuelo que la intención del ama de cocina era alejar a la joven, por lo menos por un momento, del comedor principal. Eso le convenía. Con igual rapidez comprendió que debería sentarse en un extremo alejado de los demás.

—¿Está bien que te traiga una sopa...?

—Hermana Alisanda, en verdad no he comido nada —respondió Clariot—, trae todo lo que quieras, y acompáñame mientras yo me entretengo con las viandas, ya que mi deseo ferviente es charlar contigo...

—¡Oh! —se ruborizó Alisanda, que era una chica muy bien parecida. Las lágrimas saltaron enseguida de sus ojos y Clariot se apresuró a decir:

—No pienses mal. Yo soy amigo de Alaric y sólo quiero saber qué ha pasado con él. Estoy espantado por no haberlo encontrado y ver en su lugar a otras personas...

—Disculpa... —se limpió rápidamente las mejillas Alisanda—. Ahora te traigo de cenar...

Al otro lado del comedor el hermano Samuel atraía la atención de los demás comensales. Era un buen conversador y, cuanto que años atrás había estado en el santurario del apóstol Santiago, tenía noticias de primera mano que interesaban extraordinariamente a sus interlocutores y una interpretación novedosa sobre el Camino de Santiago, que, decía festivamente Samuel, "se había dibujado en el cielo a la par que sobre la tierra los numerosos peregrinos iban abriendo senderos para marcar el terrestre camino al santuario". No podía imaginar cuáles eran los progresos del novicio, pero su táctica serviría por lo menos para entretener piadosamente a los otros.

Alisanda estaba sumamente perturbada. En el salón, arriba, le habían dicho algunas palabras poco caballerosas y, ahora, temblaba temerosa de su indefensión. La idea de Rolda de que atendiera al novicio le daba un respiro momentáneo. La muchacha, en realidad, no era criada de cocina, sino hija de un campesino libre; desafortunadamente para el efecto era lo mismo.

La última semana el nuevo señor se había aparecido en la choza de Alisanda y su familia para advertir que, a partir de esa fecha, se restituían las jornadas consagradas exclusivamente a trabajar las tierras del señor, la obligación de dar a éste y a su comitiva hospedaje gratuito, aparte del cuidado del castillo, y establecían diversos tributos por distintas cuestiones. El propio sidi Apeles había solicitado la presencia de Alisanda un par de días en la cocina para que sirviera los platos, precisamente en la fiestecita privada que ahora tenía.

—Alaric ha enfermado —dijo al sentarse junto a Clariot—, se dice que está completamente loco. Es todo lo que puedo decir.

—¿Y dónde está?

—Se dice que el señor tuvo que encerrarlo en el calabozo. La luz le hace daño, le provoca mayor locura. Insisto: no puedo decir más.

—Gracias, pues. No cuentes a nadie de nuestra conversación. Ahora dime, ¿por qué lloras y tiemblas a cada momento?

La chica se cubrió el rostro al sentirse descubierta. Tal vez pensara que nadie percibía su estado.

—Me da miedo esa gente de arriba —pudo decir finalmente.

Clariot le inspiraba confianza. Metido en el hábito, el joven almogávar lucía como un monaguillo travieso en el que se podía confiar en ciertos puntos, así que añadió:

—El señor quiso que viniera esta noche a servir la mesa... Y estoy muy nerviosa. Yo vivo con mis padres en el campo y nunca había estado en el castillo...

—¿Sois siervos acaso?

—Somos campesinos libres... Pero ahora tenemos que pagar más tributos y trabajar más tiempo para el señor...

—Háblame de Rolda. Se ufana mucho en servir los platos del sidi...

—Tiene que hacerlo. Rolda es buena conmigo, trata de cuidarme, pero ¿qué puede ella..?

—¡Alisanda! —se escuchó entonces una voz—. Ven aquí...

Rolda había asomado al comedor.

Clariot alcanzó a escuchar que el ama, al llegar la muchacha con ella, decía:

—Llevaremos juntas, tú y yo, esa fuente... No te preocupes. Nos retiramos de inmediato... El caso es que el barón te vea una vez más...

Clariot quedó solo ante un gran platón servido con media docena de platillos diferentes y, sin ninguna ceremonia, comenzó a dar cuenta de ellos. Samuel seguía acaparando la atención de aquella sencilla gente que lo rodeaba, aunque los campesinos de la carreta se habían apartado y buscaban un lugar para acomodarse a dormir.

Más tarde, Clariot refirió lo poco que pudo averiguar con la muchacha y su infructuoso intento de hablar con Rolda.

—Excelente información, hijo —repuso Samuel.

—¿Y ahora qué hacemos?

—Lo mismo que los demás: encontrar un sitio para dormir.

La mayoría de los huéspedes se estaban acomodando en los tablones del comedor y, alguno más, en los rincones. Samuel sorprendió la mirada de Clariot examinando el lugar.

—Tal vez podamos subir a la capilla por las escaleras de la cocina.

—¿La capilla?

—El mejor sitio para pasar la noche.

XII. El rescate

R OLDA observó con curiosidad a los monjes cuando éstos pidieron permiso para acceder a la capilla. No era una solicitud anormal, sin embargo como Alisanda le había comentado su charla con el joven, la buena mujer tuvo una corazonada que no se atrevió a pensar demasiado fuerte, para que no fuese sorprendido su pensamiento por otras personas. Lo cierto es que el rostro afable del monje entrado en años le inspiraba confianza, mientras que el joven imberbe le resultaba agradable. Parecían dos ángeles enviados por el Señor de los Cielos para socorrerle.

Dio tiempo para que joven y viejo se instalaran en la capilla, o dijeran las oraciones que tenían que decir, y, antes de que la fiestecilla cobrase un rumbo incontrolable, los alcanzó en la capilla llevando consigo a Alisanda.

En ese momento, con el auxilio de algunas lámparas de aceite, Samuel trataba de comprender la sección del plano correspondiente a la capilla. Recordaba la explicación de Bocatio respecto a los accesos de los pasadizos secretos, y estaba seguro de que le dijeron que había una entrada en la capilla, pero no hizo ninguna anotación en esa sección y ahora no entendía los trazos del hermano Per. El ama de cocina entró precipitadamente al recinto y encontró a Samuel de rodillas golpeando las losas del piso, mientras que Clariot, trepado en una banca, revisaba atentamente los muros. Ambos volvieron precipitadamente a la compostura.

—¡Padre, ayudadnos! —se arrojaron las dos mujeres a los pies de Samuel.

—Poneos de pie y decid qué os pasa.

—Guardad esta noche a la niña mientras transcurre la fiesta del señor barón...

—No temas, hija —pronunció Samuel maquinalmente porque adentro de él sus pensamientos querían rebelarse—. Aquí estás a resguardo.

—Gracias, padre —le besó Rolda la mano e insinuó su partida. Ella tenía que seguir al pie del cañón, en la cocina.

—Espera, Rolda.

La mujer se irguió entonces en toda su estatura, la cual superaba a la de Samuel y la de muchos hombres, y miró extrañada al padre.

—¿Me conocéis, padre?

—Alguien que te conoce me ha hablado de ti... Dime, hija, ¿es verdad que Alaric se encuentra en el calabozo?

—Sí, padre, pero lo tienen a pan y agua... ¿Cuántos días podrá sobrevivir así?

—Vete, no despiertes sospechas. Cuidaremos de la muchacha, no te preocupes.

Alisanda fue a sentarse en un rincón. Se echó una manta sobre los hombros, como disponiéndose a dormir, pero se quedó mirando llena de curiosidad al par de monjes.

Samuel y Clariot estaban perplejos. Se encogieron de hombros y reanudaron sus pesquisas, bajo la triste luz que reinaba. Unas veces golpeaban las piedras de la pared, otras, palpaban las hendiduras y oquedades y regresaban finalmente al plano. Una de estas veces que extendieron la hoja de papel cerca de la luz, Clariot creyó descifrar los trazos. Ahí estaba marcada la piedra clave. En efecto, no tardaron en ubicarla y probaron a meter en las grietas el largo cuchillo colltell del joven almogávar. La trampa se movió, cedió un poco y por fin quedó abierta del todo.

Clariot acercó una lámpara y la suma oscuridad del pasadizo se difuminó apenas, dejando entrever unos peldaños, una espada colgada de su funda en la pared y un par de antorchas, a la espera de ser encendidas.

Alisanda había seguido con extrañeza e interés las peripecias de los monjes. Al ver que éstos daban con una trampa, la sorpresa la levantó sin darse ella cuenta y avanzó boquiabierta hasta el sitio donde los monjes acababan de iluminar el interior de un pasadizo estrecho y sucio.

Samuel se acordó hasta entonces de la chica.

—Pasa, hija —dijo, y añadió una explicación—: Este lugar es seguro.

En verdad, por cualquier lado que se mirase, no podía abandonarla en la capilla.

La joven estaba muy impresionada ante el hallazgo de los monjes. La existencia de un cuarto secreto era algo que jamás había pasado por su mente. En su ingenuo modo de ver las cosas, pensó que los monjes tenían algunos buenos trucos para proteger a los indefensos y, sin miedo alguno, inició el descenso de los peldaños, atrás de Clariot, que, con la nueva arma en una mano y la antorcha encendida en la otra, no podía ya contener el impulso de adentrarse en el pasadizo.

Samuel tomó la otra antorcha, apagada, y volvió a colocar la trampa en su lugar antes de seguir a los jóvenes.

Después de los peldaños, el pasadizo se estrechaba un poco más y se proyectaba en dos ramales en ángulo recto. Tomaron el pasadizo lateral y volvieron a encontrar unos peldaños que acabaron justo en una pared. Clariot descubrió en la pared un pequeño agujero redondo. Mirando a través de él pudo ver el interior del comedor principal en donde el sidi Apeles tenía su jolgorio.

Regresaron al punto de la bifurcación y examinaron el plano. Los puntos de referencia que tenían, la capilla y el salón comedor, junto con las notas de Samuel, aclararon todas las dudas respecto a la interpretación de algunas líneas del plano. No tardaron en encontrar el camino que tenían que seguir para llegar lo más cerca de Alaric. Para su mala fortuna, no había una salida directa a lo que originalmente era una bodega y ahora una prisión, si bien el tramo de pasadizo que conducía a la cocina colindaba con una de las paredes del calabozo.

Descendieron despacio, tratando de que sus pasos no resonaran en aquel ámbito. Alisanda se quedó acurrucada junto a la trampa que daba a la cocina, mientras que, a unos pasos de distancia, Clariot y el monje trataban de calcular las dimensiones de la pared. No podían equivocarse.

La espada y el cuchillo sirvieron para rascar la argamasa entre los bloques de la construcción. Era de noche, confiaban en que los carceleros, calabozo de por medio, hubiesen relajado la guardia y estuvieran dormidos o borrachos.

Al cabo de dos o tres horas, mientras la chica dormía, Clariot había logrado mover a ras del suelo un bloque de piedra, abriendo una pequeña ventana por la cual pudo asomar medio cuerpo. Era suficiente para pasar a uno u otro lado. No tardó en hacerlo.

Samuel alumbró la escena con la antorcha, pero al notar que las sombras se proyectaban afuera, tras una ventanita que daba al puesto del celador, desistió en su intento y el muchacho avanzó a tientas, en completa oscuridad, hacia el lecho que había logrado entrever en el instante que se alumbró el cuarto.

Alaric, tenía que ser él, dormía profundamente. Clariot palpó el cuerpo y buscó el rostro para hablarle al oído y despertarle.

—¡Despierta! —insistió repetidas veces hasta que el durmiente salió de las profundidades del sueño—. No hagas ruido. He venido a liberarte.

Alaric —todavía no estaba seguro Clariot de que se trataba de él— se enderezó en el lecho. Tardó unos segundos en cobrar conciencia cabal y fue cuando preguntó:

—¿Quién eres?

—Clariot.

—¿Clariot? —pronunció el prisionero, y el mozárabe dudó entonces de que se tratara de Alaric— ¿Quién diablos es Clariot?

—Alaric lo sabe...

—¡Clariot, el bandido mozárabe...! —acabó Alaric, sí, de él se trataba, por darse cuenta.

—Vamos, sígueme, ¿puedes?

—Sí, estoy bien. Un poco débil, nada más...

Alaric distinguió la tenue luz que entraba del pasadizo. Se le ocurrió entonces una pregunta:

—¿Qué haces aquí, Clariot? ¿Rescatándome tú?

—¿Por qué no? Recuerda: prometimos llevarte a vender a los sarracenos, a menos que...

—¿Qué?

—Que me enseñes algunos trucos.

—¡Oh, creo que te enseñaré uno bastante bueno!

Y en el preciso momento en que Alaric se puso de pie, el prisionero se enredó en las cadenas a las que se hallaba sujeto. Trastabilló y estuvo a punto de caer.

—Creí que ya me habías soltado de las cadenas... —reprochó Alaric derrumbándose de nuevo sobre el lecho—. Valiente rescatador...

Hasta entonces Clariot cayó en la cuenta de esa circunstancia.

Permaneció un buen momento sin saber qué hacer. A fin de ocultar la confusión que lo llenaba se puso a examinar la cadena; primero, torpemente los eslabones, luego los grilletes que sujetaban el tobillo izquierdo de Alaric y, finalmente, la base de la cadena pegada en la pared arriba del lecho del prisionero.

Era una cadena larguísima y ligera que permitía al joven castellano la posibilidad de moverse por todo el calabozo, que era bastante amplio. Al menos en eso no se había ensañado el sidi Apeles con su sobrino. Era imposible desaherrojarlo sin hacha o sierra. En cambio, de la misma manera como habían conseguido mover el bloque de construcción, con la espada y el cuchillo rascando la argamasa, podría Clariot desprender de la pared la base de la cadena.

El jovenzuelo se trepó al lecho y empezó a trabajar duramente, mientras Alaric se acomodó un poco lejos del lugar, a fin de evitar la tierra y el polvo que caía a medida que el otro rascaba en el mayor de los silencios posibles.

Clariot tenía las manos engarrotadas y adoloridas ya de por sí, tras el anterior trabajo de desprender el bloque de construcción. Antes de una hora logró zafar la argolla enterrada en la argamasa; para entonces le parecía que sus manos latían como si se hincharan cada vez, al ritmo del corazón, al doble de su tamaño.

—Ve por delante y no intentes nada —continuó Clariot en el mismo tenor anterior.

Recogió cuidadosamente el extremo de la cadena, enrollando ésta en sus brazos, a fin de cargarla toda y ayudar a Alaric a moverse. Era evidente la debilidad de Alaric, cuyos movimientos torpes desesperaban a Clariot.

—¡Vamos, pronto! —le apuraba—. El almocadén Siripo de Famagosia se está cansando de esperarte.

La broma saltó a la vista cuando, al otro lado de la pared, lo recibió el hermano Samuel con grandes muestras de afecto.

Clariot había tomado un montón de paja del lecho de Alaric y al salir de la celda acomodó la paja de modo que ocultara la piedra movida, al regresar ésta a su posición original. No se hacía ilusiones de que lograría engañar una revisión a fondo de los carceleros, cuando éstos se diesen cuenta de la escapatoria del cautivo, pero sí las primeras pesquisas.

Ahora tendrían que darse prisa para escapar. Podrían hacerlo por una de las habitaciones que daban a un ángulo del foso. Sin embargo, la presencia de Alisanda, quien se había despertado de tiempo atrás, y la debilidad de Alaric, mantenido a pan y agua durante el encierro, y encadenado, aconsejaban actuar con prudencia.

Clariot propuso darle, una vez que Alaric fuera liberado de las cadenas, su disfraz de novicio. Abajo del hábito llevaba ropas ordinarias y, volviendo por la capilla, podrían todos salir del castillo con los carreteros, haciéndose Alaric pasar como compañero de fray Samuel.

La idea no gustó al monje porque esperar a que se reanudaran las actividades diarias era exponerse mucho a serios contratiempos. El joven podía ser reconocido por cualquiera que se cruzara con él, a menos que llevara la cara totalmente cubierta. Como esa eventualidad lo haría más sospechoso, sobre todo si se descubría su escapatoria, la idea quedaba descartada.

De todas formas, cargando Clariot todo el tiempo los diez o quince metros de cadenas, marcharon por los pasadizos a la búsqueda de una de las habitaciones superiores. Si escapaban antes del amanecer, ello les daría una ventaja importante en caso de que se descubriera la fuga y se iniciara una batida por los alrededores.

XIII. ¡En la torre!

LAS horas habían pasado volando: ya casi amanecía. La única ventaja que tenían ahora consistía en que Alaric conocía a la perfección los pasadizos del castillo y los conducía sobre seguro hacia una habitación colindante con el foso. El problema es que tuvieron que moverse con extremo cuidado. Los pasos dentro del pasadizo podrían ser escuchados en alguna de las habitaciones si hubiera alguien alerta. No era así, por fortuna. El sidi Apeles había dado una gran fiesta a sus íntimos y la francachela se extendió al resto del castillo de modo que a esas horas medio mundo dormía profundamente, ahogado por los vapores del alcohol. Sin embargo, esto no lo podían saber nuestros amigos y ellos tomaban todas las precauciones que el caso ameritaba.

Salieron finalmente por la trampa de la habitación escogida, ocupada, descubrieron, por la guardia personal del sidi Apeles, cuatro soldados de su entera confianza, los cuales dormían a pierna suelta con las armas a un lado y en medio de pavorosos ronquidos. El humor alcohólico que transpiraban aquellos hombres llenaba la habitación de tal modo que fray Samuel y Alaric comprendieron que los tenían fuera de combate. Sin embargo, esa habitación no podía servirles para intentar la escapatoria por la ventana, a riesgo de que los soldados se despertaran. Un manojo de llaves estaba colgado en la pared junto de la puerta de recia madera de roble. Clariot, quien seguía cargando las cadenas de Alaric, lo tomó y cuando todos salieron del lugar, metió la llave más grande de todas en la cerradura de la puerta y, sí atinó, la llave giro una, dos veces, dejando a los soldados encerrados.

La habitación del sidi estaba en ese mismo piso. Un guardia dormía al lado de la puerta, cuidándola en sueños. Nuestros amigos tomaron la escalera de caracol sin despertarlo, pese a que, sin poderlo evitar, sus pasos resonaban en toda la estancia.

Fray Samuel mandó a Alisanda escalera abajo, rumbo a la cocina, en donde no tardarían las fregonas en despertarse, si no es que ya habían comenzado sus labores diarias, y se hallaría a mejor resguardo que con ellos.

Acabaron los tres por subir a lo alto de la torre que daba hacia el foso. Allá arriba dormía otro de los guardias del sidi Apeles, sentado en el muro almenado entre las escotaduras, apoyándose en su propia lanza.

Clariot dejó las cadenas en el piso y de un salto, cuchillo en mano, cayó sobre el hombre, despertándolo de golpe e impidiéndole cualquier movimiento o voz al ponerle la punta del colltel en la garganta. Rápidamente le quitaron la lanza, lo amordazaron y colocaron de pie con la cabeza atorada en una angosta escotadura de la muralla.

Algo extraño ocurría allá arriba. Hacía un viento helado, pero no era eso. Clariot sentía que le ardían levemente los cabellos, mas no dio importancia al fenómeno. No podía saber que lo mismo pasaba a los demás. Alaric reconoció las molestias, pero su atención estaba fija en el manojo de llaves que Clariot tomara de los guardias.

Estaba seguro de que, entre ese manojo de llaves, se encontraba la llave que podría liberar el grillete de su tobillo, cuanto que fue su tío en persona quien se había asegurado de ponérselo, y aquel manojo de llaves se lo habían quitado a la guardia personal del usurpador.

—¡Las llaves! —pidió al mozárabe una vez que éste dejó al soldado.

Clariot tardó en comprender el interés de Alaric por el manojo de llaves que guardaba entre la ropa. Las sacó en seguida y las extendió a su antiguo prisionero. Antes de que pasaran a éste, el almogávar sintió que un centenar de pequeñas agujas se le clavaban en la mano y las soltó sin querer.

Alaric se apuró a recoger el manojo. Probó una y otra en el engranaje que cerraba la argolla en el tobillo, en vano.

Comenzaba a amanecer. A pesar de que el cielo estaba totalmente cubierto de nubes, en la lejanía se adivinaba el nacimiento del sol invadiendo ciertos espacios con una tenue claridad. Un gallo lejano soltó su canto y en seguida otros gallos, más cerca, lo siguieron. El castillo comenzaba a dar señales de vida. El viento arrastraba una posible tormenta.

No, no podía ser, se repetía Alaric. Estaba seguro de que entre el manojo de llaves estaba la que lo retenía encadenado. Probó nuevamente con todas y cada una de las llaves hasta que de pronto el cerrojo se abrió, ante el regocijo de sus amigos que no habían dejado de prestarle atención.

—Libre... —se repitió.

Corrieron todos a asomarse al foso. Un hedor a lodo podrido se elevaba hasta esa altura de las aguas cenagosas. Alaric sabía que podían nadar y cruzar el foso en aquel ángulo.

—Son como veinte varas de altura —explicó.

—Nos descolgaremos con la cadena —dijo Clariot—. Mide cerca de quince varas... Al llegar al extremo nos dejamos caer... Y en seguida huimos al bosque...

La lanza del guardia tenía contera de hierro y lucía bastante sólida. Clariot tuvo la idea de encajarla fuertemente en una pequeña oquedad que se hallaba al pie del muro, de modo que quedó perfectamente enhiesta. Metió en la punta de la lanza la argolla principal de la cadena y el extremo libre lo fue descolgando al otro lado de la pared, rápida pero suavemente, hacia el foso. Tiró de la cadena para probar la resistencia de la lanza. Dudó que pudiera resistir el peso de uno de ellos. Sin zafar la cadena de la lanza, enredó entonces la espada con algunos eslabones y atravesó el arma en la escotadura para hacer más firme el sostén.

Para entonces, Alaric había caído en la cuenta del fenómeno extraño que reinaba sobre la torre. Las nubes bajas, espesas e inmóviles, parecían aplastarlos. Nubes lanudas y oscuras.

El picor en la cabeza se acentuó, al tiempo que empezaban a experimentar sensación de cosquilleo en la cara y otras partes del cuerpo. Los tres tenían los cabellos completamente de punta. En el extremo de los dedos, cuando los movían en el aire, se oía un silbido o susurro.

Clariot miraba a todos, con ojos asustados, sin atreverse a comentar lo que le ocurría. Alaric pensó que ya había pasado antes por una situación parecida y trató de dominar el miedo, que amenazaba atenazarle el corazón.

Fray Samuel se santiguó tres veces y señaló una helena tenue que despedía la punta de la lanza, acompañada de un zumbido de abejorro.

—Apurémonos —añadió.

Convenía que Alaric bajase primero y que se pusiera a salvo lo antes posible, de modo que, a instancias de sus compañeros, no tardó en trepar al muro almenado. La apreciación de Clariot respecto de la longitud de la cadena se quedaba corta. En realidad debía medir poco más de dieciocho varas cuanto que el extremo colgaba a poca distancia de la superficie del agua.

Un momento después, Alaric estaba suspendido en el vacío. Mientras sus rodillas apretaban las cadenas, se dejó deslizar con ayuda de sus manos, tal como si bajara en una cuerda de nudos. La precipitación y la inexperiencia de Alaric en esta gimnasia, le condujeron demasiado de prisa al extremo de la cadena, resbalando al agua helada que lo esperaba abajo.

Cuando volvió a la superficie, alcanzó a ver confusamente una sombra en la muralla arriba. Era fray Samuel que acababa de agarrar la cadena y se disponía a reunirse con él. Alaric dio un par de brazadas y salió a la orilla y, en ese momento, resonaron los gritos de sus compañeros.

—¡Descubiertos! ¡Sálvate, sálvate!

En efecto, un ruido de pasos apresurados llegaba a todo tambor por la escalera.

—¡Sálvate, fray! —pidió a la vez Clariot, quien se precipitó contra el soldado atorado en la escotera.

Fray Samuel, con los cabellos erizados y una inquietante sensación de malestar en el cuerpo, inició entonces el descenso mientras el mozárabe empujaba al guardia hacia la salida de la escalera usándolo como escudo. Cuando los soldados del sidi se tropezaron con uno de los suyos se detuvieron en seco. Clariot aprovechó el momento de duda para lanzar al guardia en contra de sus compañeros, obstruyendo el paso y haciendo caer al cabecilla que acabó por ser atropellado por los que le seguían.

El momento de confusión permitió a fray Samuel acabar de descender, con mayor precipitación aún que Alaric, y puso al novato en condiciones de subir al muro y tratar de salvarse. Sin embargo, apareció el primero de los soldados con un arco en una mano y una flecha en la otra, con toda la intención de herirlo de un disparo. Clariot hizo entonces gala de su rapidez de reacción y de su gran habilidad con el largo cuchillo almogávar, atravesando con éste un hombro al atacante. Antes de lanzarse al vacío, pudo ver una estela luminosa que acompañaba el vuelo del cuchillo, y al tomar la cadena entre sus manos sintió una pesada tensión en todo el cuerpo. "¿Qué pasa?", se dijo.

Los soldados que llegaban se detuvieron temerosos de haber caído en alguna trampa; no tardaron en descubrir que el muchacho que desaparecía tras la escotadura estaba solo con su alma.

Clariot comenzó a bajar con mayor habilidad que sus compañeros; sabía que no tendría tiempo de alcanzar el final de la cadena, de suerte que, a la mitad del descenso, cuando vio que asomaban los primeros hombres sobre la muralla, se lanzó al vacío. Justo a tiempo de evitar una lluvia de flechas que lo siguió en su zambullida al agua.

Bufon mismo se apareció en esos momentos en la torre. Atrás llegaba el sidi Apeles, arrastrando a Alisanda de la muñeca. La pobre muchacha había tenido la mala suerte de tropezar con un guardia borracho tirado a media escalera, poco antes de alcanzar la cocina. Espantada, incapaz de saltar sobre el borracho, que dormía, subió de nuevo a reunirse con sus protectores, pero el nuevo ruido de sus pasos llamó esta vez la atención del guardia que cuidaba la puerta de la habitación del sidi Apeles. El guardia detuvo entonces a la muchacha y, al ver su miedo y la ansiedad que tenía por subir a la torre, comprendió que algo gordo estaba pasando. Dio la señal de alarma y como la guardia personal del usurpador no acudió al llamado, despertó al propio sidi Apeles y al caballero Bufon, quienes se lanzaron escaleras arriba siguiendo a una docena de soldados que alcanzaron a reunir.

Tras haber disparado contra el mozárabe, los arqueros descubrieron a los otros fugitivos y les dedicaron la segunda lluvia de flechas. Una saeta fue a atravesar el hábito del monje sin hacerle daño.

Bufon detuvo a sus hombres antes de que éstos volvieran a tirar del arco.

El sidi Apeles asomó la cabeza y, al descubrir a los fugitivos, irrumpió en sonoras carcajadas.

Alaric, en lugar de haber escapado al bosque, se había detenido a ayudar a fray Samuel a salir a la orilla del foso. La orilla continuaba en un terraplén en subida que los dejaba, lo mismo que a supuestos atacantes, a merced de los arqueros del castillo. Alaric y el fraile ni siquiera habían intentado subir el terraplén y Clariot apenas salía a la orilla escurriendo de agua y de hierbas.

—¿Intentas escapar, querido sobrino? ¿O andas estudiando el olor podrido del agua?

—Vamos a subir el terraplén, ¿oyeron los dos? —musitó Alaric a sus amigos—. Despacio. Una vez arriba, si se puede, salimos a la carrera a tratar de alcanzar el bosque.

—Apunten bien —ordenaba en tanto Bufon a sus hombres al observar el movimiento de los fugitivos.

El sidi, seguro de tener las cartas del triunfo en la mano, seguía burlándose de su sobrino.

—¡Mira, Alaric, quién vino a verme a mi habitación! —obligó a Alisanda a asomarse—. ¿La conoces acaso? ¡No mientas, ella fue la que me dio aviso de tu intento de fuga! Y mira cómo pienso premiarla: no pierdas detalle.

—Que salga un grupo de guardias a caballo a cortarles el paso... —Bufon seguía dando órdenes.

—Recojan esa cadena, que ha servido para los insanos propósitos de mi sobrino, de bajar a estudiar el olor fétido de las aguas del foso... ¿Se han dado cuenta de su ocurrencia? ¡El pobre está loco y no dejaré que contagie a otros con su peligrosa enfermedad! ¿Oíste, Alaric? Si no puedes vivir encerrado, no podrás vivir de ninguna manera.

Bufon se ocupó de subir las cadenas personalmente. Para entonces había una mayor claridad y la helena de la lanza clavada en el piso era invisible, aunque el zumbido de abejorro era manifiesto. La emoción imperante había predominado sobre los otros sentidos que captaban, sin embargo, las extrañas sensaciones de pelos crizados, cosquilleo en el cuerpo, susurros al mover las armas. Estas percepciones devenían en un estado colectivo de excitación creciente. El sidi daba gritos desaforados y amenazaba con colgar a Alisanda de las cadenas que habían servido para intentar la fuga. La culpaba de haber propiciado la fuga de alguna forma que aún no alcanzaba a comprender.

Para entonces Alaric y sus amigos habían logrado subir el terraplén y podían verse las caras con el sidi. Éste dejó a Alisanda en manos de Bufon y tomó la cadena en las suyas. Su intención era manifiesta.

—¡Deja a la muchacha en paz, canalla! —gritó fray Samuel. El clérigo tenía una voz clara y estentórea.

—Por supuesto, va a descansar en paz para escarmiento vuestro. ¡Va a permanecer colgada de las cadenas que no quiere el ingrato sobrino mío! ¡Colgada hasta que blanqueen sus huesos!

—¡Ten temor de Dios, Apeles! —añadió Samuel—. Él castigará todos tus pecados...

El sidi, en respuesta, alzó un brazo sobre su cabeza para mostrar al fraile la cadena, y estalló en nuevas carcajadas. Desde el otro lado del foso, la escena era incompleta, pero igualmente horrible si se hubiera visto del todo. El sidi, con los cabellos erizados, las flechas y puntas metálicas bordoneando como abejorros, el cielo aplastante con las nubes bajas, la muchacha a merced del usurpador... De pronto, para completar el cuadro, un relámpago lejano encendió la escena. El sidi sintió que la cadena le quemaba. La soltó sin poder ocultar su sorpresa. Entonces se fijaron todos en la luminosidad plateada que cobraron las puntas metálicas.

El trueno estalló a destiempo, unos instantes después, mientras comenzaban a caer gordas gotas de lluvia.

Los soldados hicieron conciencia entonces de toda la fenomenología presente y bajaron temblorosos las saetas. El sidi se llenó de miedo. Por un instante, estuvo a punto de salir corriendo del lugar, arrastrando a sus hombres con él, pues les embargaba igual sentimiento de espanto; la mirada firme de Bufon lo contuvo.

La tormenta había estallado y un relámpago aquí y otro allá rasgaban el espacio entre la tierra y el cielo seguidos de horrísonos truenos.

—¡Arrepiéntete y pide perdón a tu sobrino! —la voz de Samuel se alzó de nuevo en medio de la tempestad—. Pide perdón a Dios y a cuantos has ofendido con tu ambición desmedida... ¡Y vete ahora mismo del castillo!

El sidi recogió con determinación las cadenas y respondió con voz chillona:

—¡Calla, desdichado, porque tus huesos también lucirán al sol!

Lleno de furia y decisión, volvió a alzar las cadenas sobre su cabeza, ahora con ambas manos y con la intención de ponerlas ya sin demora en el cuello de la muchacha que, instintivamente, en un descuido de Bufon, se zafó de sus brazos, trató de escapar y cayó en manos, dos metros atrás, de un par de soldados.

En aquel momento, un trueno espantoso estalló en medio de una luz eléctrica que envolvió al sidi Apeles. Pese a que el impacto del rayo no fue directo, sino sobre una cercana arista del castillo, el medio hermano del señor de Alafaria quedó fulminado por una enorme chispa eléctrica que siguió el camino del acero en sus manos. Su silueta en la acción de alzar las cadenas al cielo quedó largo rato impresa en la retina de quienes contemplaron la escena de cerca, pero en realidad su cuerpo fue arrojado al piso en el mismo instante del impacto.

Bufon y la muchacha se desplomaron también, mientras los soldados, aturdidos y empapados hasta los huesos, con las piernas incapaces de sostenerlos, echaron una trastabillante carrera presas de terror.

Desde el terraplén se vio y adivinó todo. Para entonces la caballería del castillo llegaba a cortarle a Alaric el paso, pero también habían visto, aun mejor que nuestros amigos, la terrible escena. Ahora no sabían qué hacer, sencillamente se habían quedado sin señor.

Alaric se enfrentó a ellos y alzó la voz para que sus palabras se escucharan en medio de la tormenta.

—Desmontad tres de vosotros, tú, tú y tú —dijo con voz de mando—, y montad en ancas con vuestros compañeros. Necesitamos vuestros caballos para correr al castillo...

Los soldados, sin dudar para nada, se apresuraron a obedecer.

Poco más tarde Alaric tomaba posesión del castillo.

111

XIV. Camino a Roma

FRAY Samuel se despidió de sus amigos con una misa solemne en la pequeña capilla de la ermita. El recinto había sido insuficiente para contener a las docenas de personas que acudieron a desearle suerte. Un grupo distinguido de hermanos de San Valero, encabezados por el rollizo sacristán, entonaron hermosos cantos, mientras el padre abad se preguntaba si había obrado correctamente al alejar de San Valero al más sabio de sus monjes.

Fray Per y Alaric flanquearon en primera fila al señor de Alafaria, quien debía la salud a fray Samuel y a las curas bimestrales que recibiera en estos seis meses transcurridos desde que comenzara su curación. El Alaférico estuvo siempre al lado de Martinico. Alisanda no pudo encontrar lugar en la capilla y escuchó la misa bajo un pasillo anexo, pegada a un joven campesino con quien se ha unido en matrimonio. Su desvanecimiento en la torre del castillo no tuvo mayores consecuencias, al contrario de lo ocurrido a Bufon, que desde entonces, suma a la desgracia de perder tanto a su jefe como un empleo de paga segura, el padecer de un extraño tic nervioso que le hace saltar de continuo.

Una magnífica carreta se encuentra esperando en las afueras, cargada con las cajas y baúles que don Gondolín y el padre abad han regalado a fray Samuel para que transporte su equipaje. No es poco pues fray Per se ha encargado de llenarlo de todos los instrumentos científicos y útiles, incluidos cuatro hermosos libros que encontró a la mano, y provisiones de toda clase. El camino a Roma es largo e incierto, aunque lleno de promesas.

Clariot... brilla por su ausencia. Samuel lo esperaba hacía dos meses. Desde entonces no se sabe nada de él. Durante toda la misa, ha contemplado los rostros de todos los reunidos con la esperanza de verlo aparecer. En vano. Después de la misa y la larga despedida que le dan sus amigos, fray Samuel quisiera apartar de su pensamiento al mozárabe. No es fácil. Con la idea de que el jovenzuelo iría con él al nuevo convento, cambió sus planes de quedarse tranquilamente en la antigua Sarakusta por una incierta aventura en Roma que a sus amigos hacía estremecer. Si ahora mismo, cuando la carreta se pone en marcha, y sus amigos le despiden con sus voces, no llega Clariot, seguirá la carreta el camino del Ebro para descansar un día en la ciudad que fundara el César Augusto. De otra manera... No, resulta en balde esperar al muchacho.

Alaric condujo la carreta una jornada entera hasta que pasaron el castillo de Alafaria. Acompañaron a fray Samuel un poco más allá, hasta que el día se fue y llegaron las sombras con su luna grande. Pasaron a su lado la noche y, al día siguiente, Alaric entregó las riendas a fray Samuel. Se dieron un fuerte abrazo y prometieron escribirse con frecuencia.

Fray Per, en su borrico, a la cabeza del contingente del señor de Alafaria, no pudo ocultar su tristeza, mas tuvo ánimos para en su despedida bromear con Samuel acerca del vino "farraguinoso" que le había conseguido para sus trabajos. La mención trajo a la memoria la última reunión de estudio que tuvieron ellos, poco después de que se levantara de la cama el señor de Alafaria y se instalara en su castillo. Esa reunión duró siete días y en ella llegaron a una asombrosa conclusión: los rayos de la tempestad eran de la misma naturaleza que las chispas eléctricas que se producían al frotar un trozo de ámbar con un paño de seda. De alguna manera similar a sus experimentos con la botella, las nubes se cargaban de la sustancia eléctrica... Y hasta aquí llegaba su entendimiento real de las cosas. Fray Per regresaba de continuo al estudio del Éxodo para encontrar la clave primordial a su idea de que aquellas manifestaciones eran una obra mística de alquimia espiritual que se insinuaba en la Biblia; fray Samuel seguía pensando que la esencia de la cosas, el ínfimo ladrillo de la materia, era esa sustancia eléctrica, y trataba de explicarse sus propiedades; Alaric seguía probando las fuerzas contenidas dentro de la botella eléctrica y soñaba con encontrar la manera de educar esa fuerza, de hacerla más amable, dúctil y obediente.

Clariot había sido invitado a la reunión y estuvo presente, escuchando las discusiones, boquiabierto, asombrado e inquieto, casi sin pronunciar palabra. Sin embargo, el mozárabe no sólo tenía una memoria extraordinaria que le permitía recordar con facilidad lo esencial de un discurso retórico, sino una aguda inteligencia que lo hizo tomar una determinación al final de los siete días:

—Yo me quedo a tu lado, fray Samuel... —le dijo.

Y desde ese momento no se movió de la Ermita de la Vera Cruz, fungiendo como ayudante, alumno, secretario y amigo de fray Samuel. El mozárabe tenía una predisposición natural hacia el estudio de las ciencias tan enorme como el mismo Alaric, sólo que Clariot poseía un talento raro y original, que en nada se parecía a la inteligencia extraordinaria de Alaric, tan ordenada y serena. Sin otra guía que la vida montaraz, Clariot iba a devenir en un guerrillero formidable; pero en manos de su primo Alberto, por ejemplo, en algo mejor... Ese talento podría encauzarse hacia el progreso de la ciencia.

Como en ese tiempo el señor de Alafaria había recobrado la salud de hierro que lo caracterizaba, fray Samuel empezó a hacer sus planes de partida. Cambio la Sarakusta por la Italia. El talento chispeante de su alumno requería del genio de un maestro con no menor talento. Alberto era un sabio maestro en relojería, alquimia, filosofía y en tantas ramas del saber que se le conocía como maestro universal.

Pasaron así tres meses. Y, un día, el mozárabe decidió ir a ver al almocadén Siripo de Famagosia. Dijo que regresaría en quince o en veinte días, pero pasaron dos meses sin que tuvieran noticias suyas. El caso es que ya no podía retrasarse la partida de fray Samuel.

En esos días el señor de Alafaria, a instancias de Alaric, envió un mensajero a Siripo de Famagosia preguntando por el mozárabe. El almocadén se hallaba lejos, haciendo un servicio de armas para Jaime el Conquistador, y en cuanto a Clariot no sabían nada de él desde hacia algunos meses, cuando regresó de su conocida aventura en la torre eléctrica de Alafaria.

En esa ocasión, Clariot se había presentado en el campamento almogávar justo en el momento en que a su vez regresaba la victoriosa partida del almocadén Siripo de Famagosia. Los guerrilleros habían batido exitosamente a las tropas sarracenas que incursionaban en territorio cristiano, lo cual no era ninguna sorpresa para nadie, sino algo rutinario excepto porque la campaña se había extendido más tiempo de lo previsto. En cambio, la historia con la que llegó el novato Clariot causó admiración y regocijo a todo el campamento. El mozárabe la contó diez o veinte veces, porque muchos se lo pidieron, con todos los detalles reales, incluido el engaño de que había sido objeto por parte de Alaric y fray Per y el modo en que había caído ante el bastón del fraile, pero llenándola de tantos adornos que parecía la historia de un caballero andante y no la de un muchacho de dieciséis años.

El almocadén sintió un profundo alivio ante el curso que había tomado el caso de su prisionero, ya que estaba arrepentido de haber hecho un trato con el sidi Apeles. Nunca más pondría la fuerza de su brazo, se prometió, al servicio de cualquier canalla. Lo había pensado mucho y en un momento en que platicó con Clariot, el mozárabe lanzó una idea audaz: ¿por qué no poner la espada al servicio del rey? Es verdad que los caballeros almogávares luchan y mueren bajo la bandera de las franjas; sin embargo, no participan en las grandes batallas, ni toman los grandes botines, ni pelean al lado del rey. No es mala la idea, pero ¿y la libertad de que gozan los guerrilleros montañeses, su modo independiente de vida? ¿Dónde quedarían éstos si se ponen al servicio de su señor natural? Clariot no tenía una respuesta, Siripo de Famagosia tendría que encontrarla por sí mismo, a solas porque el novato mozárabe tenía planeado regresar al lado de fray Samuel, Alaric y el fraile gordinflón del borrico. No sabía bien a qué regresaba. Simplemente se sentía atraído a ellos tal como una pelusilla de lana lo es por una barrita de ámbar electrificada por el frotamiento.

En efecto, pocos días después, Clariot se hizo presente en la Ermita de la Vera Cruz. Samuel le propuso seguir las enseñanzas de fray Per, al lado de Alaric. En principio esta idea le entusiasmó. Cuando se dio la reunión para estudiar los fenómenos eléctricos de la torre, Clariot comprendió que no debería apartarse de fray Samuel. Se lo dijo, le pidió que lo llevara con él. Samuel estudió mucho el caso. La vida conventual quizá tampoco se había hecho para Clariot, ¿pero dónde más podía dedicarse a estudiar las ciencias como era su deseo? Aceptó finalmente llevarlo consigo, pero no a Sarakusta, sino a Roma, como lo hemos indicado.

Dos meses antes de la partida, Clariot regresó al campamento almogávar a saludar a sus amigos y verlos quizá por última vez.

En el momento de la aparición del mozárabe, Siripo de Famagosia encontró la respuesta que se planteara meses atrás. No era esto una casualidad, aunque lo parezca. Una pregunta difícil que uno se hace queda bullendo en el interior del cerebro mucho tiempo. Tal vez nuestra mente encuentra la respuesta en pocos días o en semanas, pero requiere para salir a la superficie del mar de pensamientos de un disparador relacionado con el momento de la pregunta. ¡Clariot!, para el almocadén, quien no se lo podía explicar de esta manera sino más bien como algo providencial. Por ello, y porque tenía una creciente confianza en él, y porque no había nadie entre los guerrilleros con su educación y arte de hablar, pidió al joven llevar un mensaje a nombre de Siripo de Famagosia, almocadén de una numerosa tropa guerrillera, al propio rey de Aragón, don Jaime el Conquistador: ofrecía un ejército independiente, libre, sin costo alguno para la corona, con los más bravos guerrilleros de los montes de Aragón, a cambio de que sus operaciones fuesen consideradas cabalgada real, lo que quería decir que el botín conseguido por propios méritos sería íntegramente para ellos, sin que tuvieran que apartar nada por ningún concepto, ni siquiera el quinto para el rey, según costumbre.

Clariot aceptó de mil amores la misión y se hizo acompañar a la corte por dos viejos amigos suyos, a quienes tenía en mucha estima: Filipo y Galione, hombres de más de cincuenta años de edad.

El rey escuchó con seriedad al mensajero. Ya tenía noticias de la bravura y habilidad de los almogávares, pero lo solicitado era mucho pedir y pudo suscitar el enojo del joven rey, si no es por la habilidad retórica de Clariot, que fue muy respetuoso al explicar que el rey no podía sentirse descontento ni defraudado, aunque no percibiese nada del botín, porque ellos pensaban dar más gloria y lustre a la corona de Aragón con cien y más victorias para su causa hasta expulsar a los sarracenos hacia los ardientes desiertos de África.

En la corte hubo risitas ante la facha y la propuesta de los montañeses. Dos viejos y un niño. Además, ¿por qué no enviaron a hombres hechos y derechos? ¿No los había en los montes? Sin embargo, el rey de Aragón pensaba distinto. Era aún bastante joven, apenas frisaba los veinte años, y dio un trato cordial a los mensajeros de esos legendarios almogávares, de quienes con tanta emoción había oído referir sus hazañas. Imaginó a los dos viejos como protagonistas, hacía años, de las historias fantásticas que le encantara escuchar de niño e, igualmente, imaginó al jovencillo como protagonista de las hazañas guerrilleras de las que se oiría hablar dentro de cinco o diez años. Además, no le caía de extraño la edad del embajador, a esa edad él ya era rey. Los tres personajes eran de su total agrado y los despidió con regalos y la promesa de llevarlos a su próxima conquista.

La embajada fue, pues, exitosa y las huestes de Siripo de Famagosia serían las primeras de los almogávares en participar en las campañas de reconquista de Jaime el Conquistador.

El viraje que tomaba entonces la vida de los guerrilleros montañeses prometía años de gloria, fama y riquezas. Clariot envió a Galione y Filipo a dar cuenta de los resultados de su misión al almocadén y él se quedó en Teruel, pensando lo que le convenía hacer. Al lado de los guerrilleros se le ofrecía un panorama excitante y de rápidos ascensos, como lo probaba el trato que ahora recibía de Galione, su crítico más acerbo, para quien había dejado de ser el Archipámpano de Constantinopla, y las atenciones que el almocadén le proporcionaba. Tal vez esta idea pudiera parecer exagerada considerando los pocos años de Clariot, pero el almocadén había sido el primero en señalar la buena madera que tenía el jovenzuelo, cuando aún ni siquiera se había distinguido en una correría. Y luego, el resultado de la misión de embajador ante el propio rey de Aragón le daba al mozárabe ante sus compañeros una aureola muy peculiar. No cualquiera, más aun, nadie entre ellos hubiera podido salir airoso de una misión inédita tan difícil.

Al lado de fray Samuel, lo esperaba una vida de estudios al cobijo de algún convento. ¿Qué partido tomar? Ambas situaciones le atraían sobremanera y se veía retratado en los Caballeros del Temple, los monjes guerreros que conciliaban dos intereses en apariencia opuestos...

El almocadén Siripo de Famagosia salió en su primera campaña a Mallorca contratado por el rey de Aragón; fray Samuel lo hizo unos días después, abandonando la Ermita de la Vera Cruz y poniéndose en camino de Sarakusta.

Y Clariot no se apareció en un lado ni en otro.

Siripo retrasó incluso su partida un día más para dar tiempo al mozárabe de llegar. En vano. El hombretón sintió que perdía a uno de sus futuros capitanes y a uno de sus más apreciados confidentes y partió a la conquista de otras tierras.

Fray Samuel anduvo despacio las primeras jornadas. Pronto tendría que desviar la carreta hacia el Ebro arriba, abandonando el camino a Roma. A lo lejos se levantaba una nube de polvo arrastrada por el viento invernal y alzaban el vuelo unas palomas. La torre de una capilla se dibujaba en el perfil de una loma solitaria. Hacia allá iba la carreta, remoloneando porque el camino que hubiera deseado seguir quedaba atrás. A sus espaldas resonaba el galope de un caballo.

—¡Fray Samuel! —repetía el eco con voz de muchacho.

Por fin, Samuel miró atrás.

—¡Oh, caballos! —detuvo la carreta.

No tardó en alcanzarlo un agitado jinete.

—Fray Samuel —exclamó—, éste no es el camino a Roma.

—Todos los caminos llevan a Roma —sentenció el monje reconociendo hasta entonces a Clariot.

—Bueno, pero hay otro más corto... —repuso el muchacho.

Y sin preámbulos, sonriendo por primera vez desde que saliera de la ermita, fray Samuel hizo a los caballos dar la vuelta para tomar ese camino más corto que meses después habría de conducirlos a Roma.

Samuel tuvo una larga vida. Su última residencia fue el reino de Flandes, no lejos de la villa de Leyden. Clariot, con el tiempo, pasó a ser uno de los alumnos preferidos del maestro universal y el verdadero constructor del hombre mecánico que se atribuye a Alberto. A Alaric le tocó su turno de ser un señor. A su favor, hay que decir que jamás apretó el yugo a sus vasallos, sino que se preocupó por el bienestar de su gente como sólo en Aragón podía ocurrir en esa época. Siguió adentrándose en las ciencias y llegó a escribir un libro de historias imaginarias. Fray Per fue preceptor de los siete hijos de su antiguo discípulo y, durante mucho tiempo, se le vio jugando de esa manera nueva y curiosa que tenía él de enseñar.

Índice